SHOPPING
EATING
RELAXING
TRAVELING
YES!

再咬幾口義大利

張國立

【自序】反正條條大路通義大利

結婚之前，我和趙薇曾簽了一份契約，內容的重點有三項：

1、兩人結婚後，凡是女方的一切仍屬於女方，男方的一切則也屬於女方，除了男方在外的債務。

2、兩人結婚後，男方必須於重要節日致贈能使女方滿意的禮物，這些節日應包括：結婚紀念日、女方的國曆生日、女方的農曆生日、中國情人節、西洋情人節、日本情人節、莫三鼻克情人節、定情日、蜜月旅行紀念日、男方首次強行索吻失敗紀念日等。基於男方的要求，女方也同意如果男方在以上節日表現優良，可酌情施捨若干禮物。

3、兩人結婚後，男方每年必須履行一大三小的旅行計畫，一大是指十二天以上，離開台北三千公里以外的旅行，三小則是指五至七天，不含國內旅遊的旅行。

因而在結婚之後，我無時無刻不陷於提心吊膽、剉賽剉尿的情境之中，並且最怕回到家時，趙薇親切的開門、嫵媚的端茶、再用性感的聲音問：你知道今天是什麼日子嗎？

男人呀男人，結婚可以，但別頭昏，更別在頭昏時結婚。

但我也摸著趙薇認為根本不存在的良心說，我最頭痛其中的第三項，每年試圖說服她，金門和法國的凱旋門都是門，澎湖和美國的五大湖不也都是湖，東京有個有樂町，台北也有西門町呀。

有三種人千萬別糊弄，一種是你的老闆，你遲早會死得很難看。一種是你老媽，她看你耍把戲，偷笑在肚裡。最後一種就是老婆啦，尤其是處女座的老婆，因為她們早有計畫，而且意志堅定的非執行不可，愚公來也沒用。

就這樣，我努力的履行契約，帶著茶包（trouble）走天下——不，嚴格說應該是茶包帶著我走天下。

我和趙薇分別是牡羊座和處女座，前者凡事隨便，天生浪子的個性；後者連每天家裡吃飯都會有菜單，絕不能更動。所以我們的旅行總夾雜著口水和淚水，口水是她的，在佛羅倫斯火車站前罵我罵到大雷勾動地火的傾盆大雨。淚水是我的。這就是為什麼我和她又去義大利的原因。

這次我在捨身取義的數次溝通後，得到趙薇的同意，依照牡羊座的個性旅行。什麼是牡羊座式的旅行呢？哈，就是走到哪裡算哪裡，不設計行程，不安排旅館，反正條條大路通羅馬。

我們以佛羅倫斯為中心，每天早上起床後到火車站轉原子筆，轉到東就往東，轉到西也往西。當然，這種旅行一定會遇到意料中的問題，我們臨時起意要去薩丁尼亞，結果買不到船票，浪費一天在到處奔波上。又臨時起意的去五塊大陸，結果晚上找不到旅館，差點睡火車站。再臨時起意的去熱那亞，險些當街成了流浪漢。我們甚至在佛羅倫斯走散，趙薇幾乎藉機找個義大利帥哥再嫁一次。

不過其中的樂趣也不少，因為我們吃到了蘇連多精采的起司餃子披薩，找到了吞口水都來不及的大牛排，還在阿瑪非海岸見識到義大利人口中的天堂。

回台北的飛機上我得意的問趙薇，牡羊座的隨機式旅行也不錯吧，去了那麼多想也不會想到要去的地方。她沒說話，直到我後來翻她的筆記，才赫然發現她對此行的感想是這麼寫的：

——他不知道旅行沒先安排好行程有多大的不安全感嗎？

——他以為我真會陪他睡火車站嗎？

——在佛羅倫斯走失時，我為什麼會有一個人流浪的欲望呢？

——他為什麼不問我就自以為我會喜歡佛羅倫斯牛排？

——當初我為什麼沒想清楚牡羊座男人的死德行，頭被結婚沖昏了嗎？

——要是下次他又說要來義大利，我該不該掐死他算了？

好吧，我承認牡羊座A型的男人是人類的渣滓、社會的寄生蟲、令人髮指的討厭鬼、全銀河系的公敵，我保證下次絕對不再做沒有目標的旅行。

下次？下次去哪裡？嗯，我們來轉地球儀好不好，由趙薇做主，她指到哪裡，我們就去哪裡。

N T S

e to Cortona,

1

尋找托斯卡尼的牛排

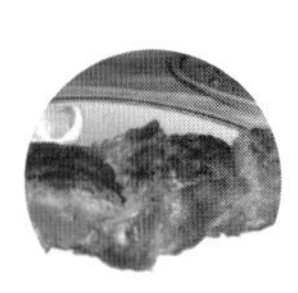

噴泉的烤牛肉

去義大利一定要吃牛排。很多人認為我頭殼歹去，美國、澳洲才是產牛的地方呀，要不然英國牛肉也不錯，還有日本的神戶牛，為什麼要去義大利？

嘿嘿，為了吃牛排，老實說，我這幾年去了義大利好幾次，抵達羅馬機場後，搭了火車進城，馬上在羅馬市的特米尼車站轉車，別說梵蒂岡的美術館，更別提圓形競技場，我連頭也不回的買了票便去佛羅倫斯，一路上我滿腦袋全是香噴噴、紅嫩嫩的牛排。如果我沒結婚，我會坦然、直接、毫不考慮的說，最鮮嫩的不是女人，是托斯卡尼的牛啊。

這幾年佛羅倫斯變了很多，我的意思不是說老義把百花教堂拆了，而是他們的人情味淡了不少，快像礦泉水了。以前在佛羅倫斯火車站訂旅館，有個遊客服務中心無料服務，小姐漂亮、話也說得甜，雖然得排很久的隊，總會替我找到旅館。現在鐵路局接手這個業務，地點移到廁所旁，地方小，小姐也失色，而且表面上說不收手續費，可是會要我先付訂金。只要錢從口袋掏出來，我就不爽。至於旅客服務中心則被趕到車站對面去，初到的人怎麼可能找得到。

算了，反正賺錢的事總有人搶。我也學乖，懂得去佛羅倫斯得先訂好旅館。

我訂的是家新開張的Ｂ＆Ｂ，也在車站附近，由兩個帥哥經營，大概只有七、八間房，裡面還有個像玩具似的小冰箱，到了晚上才發現，別看它小，發出的聲音和火車也差不多，不拔掉它的插頭根本睡不著。

住那裡不重要，重要的是，離我的牛排很近唷。

這家餐廳在佛羅倫斯很有名，位於國家大道上，門前有一個很古老的洗手台，一排的水龍頭，據說抽取的是泉水，因而餐廳就根據洗手台，稱為『噴泉』。裡面佈置得很古典，都是木頭桌椅，牆上掛滿了畫。

餐廳分成兩個部份，由中央的廚房、烤爐和麵包桌分開。我最喜歡廚房，因為可以看著服務生在長桌上調理沙拉和切麵包，烤爐也隨時有東西在上面烤，很有吃的感覺。好吧，吃。

因為期待已久，所以二話不說的點了牛排，菜單上寫的是：Bistecca Alla Fiorentina。我點的是一千克重的，只見連骨的牛排先將外層煎過，再放到炭上烤。先煎的原因是封住肉汁，免得在烤的時候流失太多而喪失了肉味。為了等牛排，我也點了前菜，是綜合式的（Mixed Antipsato），有茄子、蛋餅、培根捲菜豆、火腿蜜瓜、橄欖和烤番茄，大部份都用橄欖油和胡椒先醃過，既豐富又好吃。老實說，前菜配上麵包已經足夠了，不過脹死了也無所謂，我是來吃的，不是嗎？

牛排上桌有個儀式，服務生讓我先去壁爐看看牛排烤得還滿意吧。老天，只見牛排外層已略帶焦的香味撲鼻，然後他在桌旁把肉和骨頭分開，一刀下去，裡面仍紅嫩嫩的，可是沒有血水流出來，真像性感的美女，外香內嫩。

我第一次在佛羅倫斯吃到牛排是很多年以前的事，那天我到處亂逛，無意間走進一家老媽媽和她先生開的店，她大力推薦我吃牛排，本來不抱太大期望，不料從此上癮。托斯卡尼的牛排色澤很淡，近乎白色，幾乎都用炭烤，事前用橄欖油和黑胡椒略略醃過而已。

我到得較早，等牛排上來時，餐廳已經坐滿人，而我也成了全場的焦點，沒辦法，牛排實在太香太壯觀了，有兩對正在看菜單的洋遊客，這時已乾脆放棄點菜的樂趣，對服務生指指我，我呢，早就不顧形象的恨不能一口把所有牛肉都塞進嘴去。

一千克的牛排有多少？足以吃到把自己打昏的地步。

我當然不容易認輸，牛排之後照樣吃甜點，一個巧克力塔再加一個水果塔。我保證如果你們那時也在餐廳絕對不會認我這個可愛的同胞，你們會說我是蘇丹人，經過五年的飢荒才來義大利的。

吃這頓飯花了我不少銀子，前菜歐元四點五元，兩個塔各四歐元，牛排一百克要三點五歐元，我吃了四十二歐

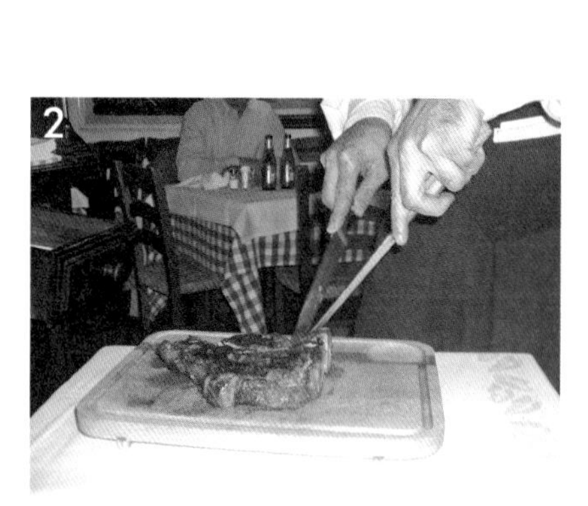

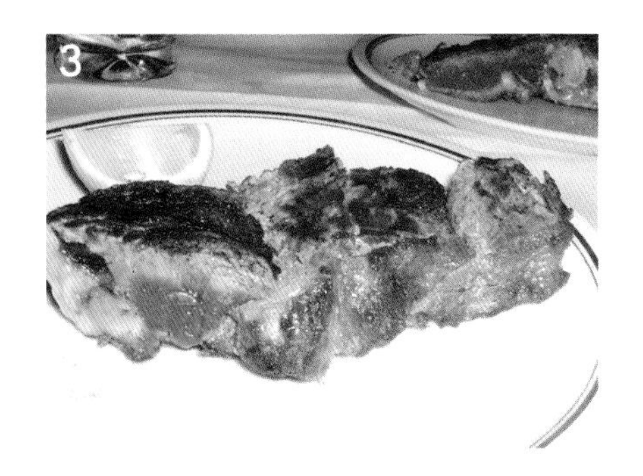

1 牛排先煎一下再去烤，這時香味已經鑽進我的腦細胞裡去了。

2 服務生會先把骨頭和肉分開，不過骨頭會留給我。我長得像狗？

3 這就是托斯卡尼的牛排，切成一塊塊的方便我吃，免得我得花氣力在切肉上。看到沒，裡面紅嫩嫩的卻不會血水流得一盤子。唯一的調味便是一片檸檬。

4 登上教堂頂樓看到的佛羅倫斯屋頂。

元，原來我不只吃一千克，難怪脹肚皮了。我和趙薇合計吃了約六十歐元，兩千多台幣一せ。沒關係，接下來我可以靠麵包過日子。

偶爾要對自己好一點是我的座右銘，問題是，我好像無時無刻不想對自己好，因此我最怕去要收機場服務費的國家，我經常把錢全花光，回程在機場得翻遍箱子的湊零錢付這個沒什麼道理的服務費。

1 **噴泉餐廳（Ristorante Le Fonticine）：Via Nazionale, 79 。電話：055-282106。www.lefonticine**

《托斯卡尼艷陽下》的柯多納

吃完仍不甘心，我對什麼樣的牛能長出這麼好吃的肉一直很好奇，我得在托斯卡尼好好找找。

義大利的托斯卡尼這十年紅的程度超過法國的普羅旺斯，許多美國人飄洋過海去當地買房子。吸引他們的地方主要是托斯卡尼的風光明媚，住得悠閒，況且走幾步路就會踢到二千多年前的古墓，蓋棟房子也會不小心挖出仍殘留著壁畫的古蹟。不過我只在乎牛排。

第一次在佛羅倫斯吃到牛排時，我曾好奇的問餐廳的老媽媽，為什麼牛排那麼的白呢？老媽媽笑了半天也沒回答我，直到客人都走光，她也喝得七分醉，才說好的牛肉只需要略微的調理，絕不會像美國人又是黑胡椒醬、又是蘑菇醬的，把牛肉的原味都蓋住。至於牛肉為何是白的，她只理所當然的說：好的牛肉不都這樣嗎？

托斯卡尼位於義大利的中部，是一個省，佛羅倫斯便是當地最大城，其他如有斜塔的比薩、有扇形廣場的席耶那、有保存完整城牆的聖吉米那諾，許多許多的古城，到了托斯卡尼如同走入中世紀的歐洲。遊客坐著巴士或火車，從一個城晃到另一個城，十天

1 托斯卡尼的酒廠很多設在古堡裡，感覺起來他們的酒也很有年份。

2 托斯卡尼都是丘陵，沒有高山，因此適合種橄欖和葡萄。也沒看到一頭牛對吧，牛都養到家裡去了。我想做牛。

3 另一所農家，他們的房子都很舊卻很有味道，像我，也很舊，也挺有味道的。什麼，酸味？

4 裝飾了花草的古井，托斯卡尼的泉水是冰涼的，喝起來比酒還棒，再說，不要錢。

5 榨橄欖油的機器，趙薇說我躺進去可以榨出幾十公斤的油，豬油。

●托斯卡尼的農家，左邊孤獨的杉柏到處可見。

也玩不完，至於離開古城到鄉間去，則也因為當地盛產葡萄酒和橄欖油，不是去酒廠嚐酒便是去榨廠試新收成的橄欖油，很少有機會走進隨處可見孤單的杉柏、黃磚紅瓦散發著歲月氣息的老舊房子的田野去。

從噴泉出來，我一邊拍著肚皮一邊想，似乎該去找找托斯卡尼的牛了。我對趙薇說出我的念頭，她冷笑了約五分鐘，誰叫她要減肥，到義大利來減肥，存心和自己過不去呀。

隔天我們便坐上巴士往鄉下跑，說也奇怪，放眼望去整片綠油油的山丘竟看不到任何一頭牛，只有一群群的羊。

在一個小鎮吃中飯，我問起

忙著烤披薩的師傅，牛呢？他大笑了一陣子，答應過了午餐，會帶我去找牛。

終於看到托斯卡尼的牛，的確是白色的，很大，卻從生下來都不放牧，而是終其一生的養在有屋頂的欄內，養牛的人也視如己出的每天洗刷牛身再加點按摩。難道這便是牛排是白色的原因？

師傅指著我身邊的趙薇說，對待牛要如同對待女人一樣，不能讓女人做重活，不能讓女人有事沒事曝晒在太陽下，不能讓女人傷神費心，這樣，女人才會鮮嫩美麗呀。

趙薇笑得像母雞被掐住脖子般的咯咯咯，看情形她今後將拒絕做超過一公斤、超過二十分鐘的家事，因為她要美麗和鮮嫩。至於男人的我呢？回程的巴士我又看到一群羊，牠們在草地上低著頭嗅到什麼便吃什麼，男人是羊，這莫非就是男人的宿命？

直到今天，我都積極的參與家務，或者說，雖沒每天扛起拖把、捧起洗衣粉，我也努力的避免變成家裡髒亂的兇手，因為趙薇把她在『噴泉』餐廳拍的牛排照片放大掛在我的書桌前面。我該懂她的意思。

差點忘記，托斯卡尼的牛叫做CHIANINA（奇呀你哪），多有趣的名字，牛啊，你哪奇呀。喔，這是種白色的牛，本來是托斯卡尼主要的犁田和搬運家畜，有兩隻長長的大角，如今機械替代了牛，『奇呀你哪』反成了桌上的牛排。牛呀你哪，早知道還不如繼續的種田。

電影『美麗人生』的故鄉：阿列佐

填飽肚皮，我打了個飽呃，薰死三十八個義大利人之後，我對趙薇說，好，接下來該來趟托斯卡尼之旅了，說不定又能吃到什麼好東西，以便回台北減肥。

以佛羅倫斯為中心，往東南坐火車可以去阿列佐（Arezzo）、柯多納（Cortona），都是有名的山城，野豬和牛肉齊名，秋天還有誘人的菇。往南則可以到席耶那（Siena）、蒙特尼吉阿尼（Monteriggioni）、聖吉米拉諾（San Gimignano）。往西也有比薩（Pisa）、盧卡（Lucca），都是充滿樂趣的地方。好，決定先往東南。

搭火車可以由佛羅倫斯到柯多納，不過得再換巴士去能抵達山上的柯多納古城，可是我睡過頭，火車沒等我的先開了。幸好我有隨遇而安的個性，那就先坐火車去阿列佐再換巴士去柯多納。我認為旅行時睡眠很重要，才有精神接受義大利各種交通工具的折磨。趙薇不同意我的看法，她覺得花了機票錢怎麼能把時間花在睡覺上，再說有人每天睡十個鐘頭的嗎？

這是牡羊座和處女座的不同，她這種處女座的人最喜歡安排行程，而且安排好了之後不容牡羊去打亂，很不幸的，我是牡羊。

走進柯多納古城的國際大道，一個轉彎便見到廣場中央的市政廳。義大利到處都有鐘，可惜他們都沒看鐘的習慣，旅行最好學他們，忘記時間。

BAR CAFFE'

坐火車到阿列佐要一個半小時，我上了車繼續睡，睡得天昏地暗，又差點忘了下車。對了，趙薇學過義大利文，她常有把我一個人甩在車上的陰謀。

坐巴士很好玩，因為將近中午，前半段上車的都是胖媽媽在阿列佐買完菜要回家，她們每個都笑哈哈的要我從菜籃猜她們晚上要做什麼菜。後半段上車則都是剛放學的學生，那天星期一，奇怪，好像義大利的高中生也只上半天課。他們沒要我猜晚飯，反而開始猜我和趙薇從哪裡來的。五個人猜日本，三個猜韓國，沒半個猜台灣。當我說出台灣，只見這些不用功的傢伙個個都假裝懂的說，喔——。最糟的是他們把台灣發音為『呆玩』，我本來要翻臉，趙薇用不屑的口氣對我說：

『你不是呆嘛，叫你呆玩有什麼不對。再睡呀。』

女人會記仇，尤其處女座的。

巴士一個小時抵達柯多納，這裡最近幾年紅透了半個美國，因為寫《托斯卡尼艷陽下》的作者就住在柯多納。她在書中說她買了一厝老宅，花了半生積蓄去整修不算，還要學會如何和義大利打交道，因為義大利人做事永遠都不急，她卻急死了。我看完那本書才愛上義大利，大家都慢吞吞的做事多好，不像趙薇，我才晚兩個鐘頭起床，她都想離婚了。她急什麼呀，我們在義大利。

柯多納古城位在山頂，巴士停在城門口的廣場，從城門順著國際大道（又是Via Nazionale），走到四周都是餐廳的共和廣場，最有名的是把桌椅佈置在可以俯視廣場的戲院咖啡廳，不過已經一點鐘，該吃中飯了吧。

走進廣場旁的一家小館子，由火氣仍然很大的趙薇點菜，果然，旅行一定要平心靜氣，她不聽我的，結果差點吃死兩個人，她點的是：

第一道是前菜，有各種前菜，包括蜜瓜火腿和抹著雞肝醬的麵包片。

第二道還是前菜，六塊雞肝醬麵包。

第三道是她的主菜，包著菠菜和起司的小餃子。

第四道我的主菜，兔肉大餃子。

看到沒，我們有了七片雞肝醬麵包，吃一片會覺得好吃，吃了七片會膩死人。她罵都是我睡過頭才害她點錯菜。我不敢多說話，一個人吃了六片，我想吃完之後我會雞叫了。

托斯卜尼的兔肉也很有名，包在餃子裡倒是我第一次吃到。對了，對我們而言兔子是寵物，不過歐洲人則認為兔子是食物，因此別罵我怎麼吃可愛的小白兔。

在小山城裡最好玩的是根本不用怕迷路，鑽進小巷子看著英國來的老太太擺開畫架的悠然自得畫起畫來，也可以看到小男生站在一棟二層樓高的房子下面吹口哨。旅行要放鬆自己，人生不就是閒逛吧。

從柯多納坐巴士往回走，我本來打算先去另一個小山城Castiglion Fiorentino，可是我實在記不得那麼長的字母，對著司機在地圖上指了個地方，結果司機一路上和坐在第一排的老先生聊我為什麼要去這裡。他真能管閒事。

1 這是怪叔叔的我和背後的Castiglion Fiorentino 鐘樓，以證明我真的來過這個小城，免得有人懷疑我是瞎掰。老實說，懷疑我的人還不少，真是君子之心度我小人之腹。

2 在柯多納吃中飯時的前菜，蜜瓜配火腿是義大利最普遍的前菜，甜的像趙薇，鹹的像我，人肉鹹鹹哪。

3 另一道主菜，兔肉餃子，很好吃，兔肉很嫩但比雞肉要扎實。你們家裡沒養兔子吧。

4 柯多納古城內的小巷子，非常安靜，讓人有睡午覺的欲望ㄣㄣㄣㄣㄣ

5 Montecchio Vesponi，火車上能看到，不過千萬別去尋訪，看看我的照片就好了。

6 柯多納的小教堂和天空，奇怪，托斯卡尼連天空的藍都讓我覺得懶洋洋的，有躺在草地上睡午覺的強烈欲望。

下了車，我才知道，沒錯，從公路就能看到小山頂上有座城堡，可是這個地方叫Castello di Montecchio Vesponi，也很長對不對，誰記得住他們這些又臭又長的地名。

我們努力的在幾乎沒有路的樹林中爬山，好不容易到了城堡門口，卻見大門深鎖，上面還掛了個牌子：此城年久失修，瀕臨倒塌，謝絕參觀。

這還不算什麼，下班巴士要一個半小時。坐在路邊我快被趙薇念死，請她吃冰淇淋也息不了怒。對面人家的兩隻狗跑出來對我們猛吠，人要是倒楣，最慘也不過如此吧。

我們最後仍然抵達Castiglion Fiorentino，更小的一座城，我只不過問廣場在哪裡，只見四周的老房子裡冒出七、八個媽媽熱心的指點我，她們還好奇的問我，為什麼三丈遠的那個東方女人臉很臭？我說她要喝下午茶，這是我找廣場的原因。

坐在廣場的露天咖啡座，我看著書，原來這個小城地處偏僻，從十四世紀起就沒有

一條小巷子和一盞街燈，由一個睡過頭被老婆罵的台灣郎拍的，這時他的心情帶點惆悵、帶點寂寞。

太大變化，難怪媽媽們看到台灣來的帥哥會這麼熱心了，她們可能根本沒看過呆玩人吧。

巴士最後一站回到阿列佐，電影『美麗人生』的導演貝尼尼的故鄉，這部電影的許多場景也是在這裡拍的，不過事實上它很大，離開巴士站（火車站對面的下一個路口）還要走半個小時。古城內最大的廣場便叫大廣場，四周全是骨董店，我們啃著路旁賣的披薩坐在台階上，回想電影中的畫面。是的，托斯卡尼最大的樂趣便在於中世紀的建築都保存得很完整，彷彿走進了歷史，這和我過去的經驗截然不同，更重要的，小城的居民都很閒散，他們對任何事情似乎都不急，我又想睡覺了，這次也許可以再夢一回牛排吧。

情報 INFORMATION

2 柯多納的餐廳La Loqqetta，位於Piazza Pescheria 3號，電話：575-630575。

3 托斯卡尼的車票錢（一歐元約四十元台幣）。從羅馬到佛羅倫斯坐火車約兩個半小時，二等車廂每張票是21.95歐元。從佛羅倫斯坐慢車去柯多納要一個半小時，每張票6.4歐元。由佛羅倫斯坐慢車去阿列佐，每張票4.9歐元。由阿列佐坐巴士去柯多納，每張票2.1歐元。巴士票在賣香菸的店裡買，請留意，中午都休息，有些到下午四點才開門。

4 義大利文每個字母都發音，和英文不一樣，千萬別看到字尾是le就只發L的音。例如國際大道的Nazionale，要念：那窮那累，而不是那窮那兒。

e to Lucca,

2 別忘了佛羅倫斯冰淇淋

維我利的米冰淇淋

義大利有三樣國寶（我認為的）：人參、貂皮、烏拉草——搞錯了，是義大利麵、披薩和冰淇淋。

究竟是誰發明這三寶的呢？有人說是中國人，馬可孛羅東遊時學會的，然後帶回威尼斯。哎，恐怕不是，至少披薩和冰淇淋應該是阿拉伯人發明的。中東地區乾燥，遊牧的阿拉伯人便把麵糰做成餅烤過，方便攜帶隨時可以吃。這種做餅的方法，往西傳到土耳其、希臘和義大利，往東也傳到了中亞和新疆。

二十世紀初，一度被火山泥淹沒的龐貝古城在重新被發掘出來後，發現有大型的烤麵包爐子，和現在披薩的烤爐很像，因而義大利人否定阿拉伯是披薩發明者的說法。根據已知的歷史，龐貝建城於西元前八世紀，後來一度成為希臘的殖民地，西元前八十年則成為羅馬帝國的一部份，西元六十二年一次大地震使該城受到極大的破壞，七十九年維蘇威火山爆發，整個城被掩埋。

義大利人因而振振有詞的說，既然挖出來的龐貝廢墟裡有烤爐，可見至少在耶穌誕生的前後，羅馬人烤麵包已是非常普遍的事，有披薩餅也不奇怪，這和阿拉伯人有個屁關係。

好吧，大家都承認義大利人發明披薩，做的披薩也全世界第一好吃，可是阿拉伯人找到冰塊卻是公認的，他們把冰塊藏在深掘的洞穴內，以便夏天時可以吃。因為義大利是中世紀東西方文明的交匯點，接收了冰淇淋文化，經過改良而成了他們的國寶。現在全世界的冰淇淋，打著義式旗號的不算少，gelato這個義大利文裡的冰淇淋也和pizza、pasta一樣，成了外國人最初認識的義大利文。

吃披薩要去義大利，而吃冰淇淋更要去佛羅倫斯。這個學問是趙薇在當地遊學一個月最大的成就（也是我認為的），她回到台北後仍念念不忘，遇到賣義大利冰淇淋的她便興奮得像早起的公雞，咯咯咯的吵個不停，但她幾乎都很失望，然後用堅定不拔牙的口氣告訴我：

『吃冰淇淋要去佛羅倫斯。』

更精確的說法，在聖西蒙廣場。那是個很小的廣場，也有座教堂，我們按著地圖找了半天才突然間看到一個小巷子裡站滿人，再往前走，是家不起眼的小店，上面寫著：Il Gelato di Vivoli，意思是『維我利冰淇淋店』。真是維我利，吃冰淇淋要排隊，不賺翻了才怪。且店裡的座位很少，大部份的人都站在外面吃，周圍的垃圾桶裡面全是小圓盒子。

既然找到最好吃的冰淇淋店，也要找最好吃的冰淇淋，哈，叫做米（riso）。顏色是白的，像是香草或檸檬口味，可是吃起來真有米的味道，一點也不膩人。你們要相信我，我也許說話有點誇張，但絕對根據事實，我可以即使剛吃完午飯也臉不紅氣不喘的連續幹掉三個米冰淇淋，在場的各國觀光客都是人證，有個老美甚至問我是不是新幾內亞來的，以前看過冰淇淋嗎。新幾內亞在赤道附近，太陽能晒死人。我要是新幾內亞人，一定天天泡在冰淇淋裡面。

佛羅倫斯的冰淇淋花樣很多，讓我想起台北中山堂附近一家冰淇淋店，掛的大招牌上面寫著：豬腳冰淇淋。差別在於佛羅倫斯用的多是水果，米，已經算是很特別了，不知道義大利人看到豬腳冰淇淋有什麼想法。

另一家也很有名的冰淇淋店則是Caffe Ricchi，別懷疑，義大利的咖啡店都賣冰淇淋，不過離市中心略遠，也強調都是自製冰淇淋。

這兩家冰淇淋店都在小巷子裡不好找，幸好名氣夠大，我是問人才找到的，而我問的不是義大利人，反而是美國人，顯然觀光客更注意這些店，那兩個老美熱心到帶著我到維我利門口，還搶在我前面又各買了一客，我想，我可能被他利用了，因為我給了他們一個再去吃一次的藉口。

在此之前，我在羅馬也吃過很棒的冰淇淋，有蜂蜜和薑汁的，和佛羅倫斯的比較呢？我是面面顧到的爛好人，所以

維我利冰淇淋店的大門前永遠有人排隊，我本來要拍米冰淇淋的，可是來不及拍就被我吃掉了。

我會說，都好吃。哎，我真是個沒有原則的人，不過其實我只要有吃的就好，你們也別太難為我，但趙薇就很極端，她抵死也要說佛羅倫斯的才好吃。

是她說的，我沒有任何意見。

在義大利走到哪裡都有冰淇淋，同樣，法國和西班牙的冰淇淋也都讓我很難忘記。我會忘記老婆，卻不會忘記冰淇淋。提醒所有的同胞，去南歐千萬不能錯過冰淇淋，否則你們會對不起我。

情報

1

Gelato di Vivoli 的地址是：Via Dell 'Isola Dell Stinche，Piazza S. Simone旁。周一至周六由早上七點半開到凌晨一點，周日也開門，只不過九點半才開門。真是搶錢維我利。另外還有兩家的冰淇淋也很有名是：Gelateria dei Neri，地址是 Via Dei Neri 20。Gelateria Carrozze地址是 Via del Pesce 3，離烏菲茲美術館不遠的河邊。Piazza的意思是廣場，和披薩（Pizza）很像，所以千萬別說成要找聖西蒙披薩。對了，義大利的廣場和披薩店也一樣多。Caffe Ricchi則在Piazza Santo Spirito 8/9r。

2

羅馬著名的冰淇淋店叫做Il Gelato di S. Crispino，地址是 Via della Panetteria 42，要不然Giolitti也不錯，在Via Uffici del Vicario 40。

比薩的皮耶薩有披薩

由佛羅倫斯往西，也有許多精采的古城，比柯多納、阿列佐更紅，其中最著名的當然是比薩（Pisa）。

坐火車去最方便，在比薩中央車站下車，由於城還滿大的，得在站前換乘巴士去奇蹟廣場，和一般的廣場不同，奇蹟廣場都是舖設得很整齊的草地，躺在那裡晒太陽很舒服，再說周圍有古老的墓地、洗禮堂、主教堂、博物館和斜塔。

最早比薩是希臘和羅馬的港口，九世紀成為獨立的城邦，十一世紀時進入黃金時代，是地中海的海上強權之一，和熱那亞與威尼斯爭雄，但不幸後來戰敗，十五世紀初成為佛羅倫斯的屬地。

在黃金時代，比薩熱中於建築，他們創造了被稱為『比薩羅馬式』的風格，主教堂是代表作，使用不同顏色的大理石裝飾出立體的圖形。

比薩也有中世紀全世界首屈一指的大學，佛羅倫斯的領主在此開設了比薩大學，天文學家伽利略便是這裡的老師。

斜塔是在一一七三年開始建的，採純羅馬式設計，每一層的外面都有圓柱和拱形的門楣，花了兩百年才完成，接著因為地質不堅固，塔在修建時就傾斜，接著的七百年都忙著怎麼不讓塔倒掉。

我喜歡走路，後來再去比薩便不坐巴士，而從火車站走到奇蹟廣場，前段挺無聊的，可是過了亞諾河就進入古城區，愈來愈有意思，在小巷子間鑽來鑽去，突然走進一個廣場，到處都是騎著自行車的學生，每人手上捧著厚厚的書，彷彿進入十七世紀的大學城。這是騎士廣場，以前紀念一位叫聖史蒂芬斯的武士，他騎著馬，現在則供新一代武士來喝杯咖啡討論人生問題，他們騎著自行車。

比薩是個讓人困惑的地方，地層下陷，科學家用盡各種方法來阻止斜塔繼續傾斜，可是看著一輛輛巴士帶來的人潮，使寧靜的古城又躲不開嘈雜，以前這裡是依賴亞諾河為主要的運輸管道，往東去佛羅倫斯，往西則進入地中海，如今鐵路取代了河道，很難再想像兩百年前這個小城的風光。我想比薩人可能很討厭觀光客吧。

喔，不能忘了吃飯，廣場附近有家卡巴諾餐廳設在古塔裡，每本旅遊書都介紹，不料坐了進去才發現，很貴，套餐一個人要一千台幣，我有點捨不得，趙薇則指著菜單說，他們也有披薩。

哈，來到比薩吃披薩，我發明了一句繞口令：

到比薩（Pisa）的皮耶薩（Piazza：廣場）吃披薩（pizza）。

我很有創意吧，趙薇卻說，你到底吃不吃，別煩人。

比薩對於想在托斯卡尼玩的人，也不失為一個很好的落腳地點，旅館要比佛羅倫斯便宜多了，而且到了晚上很安靜，更可以晚上散步去看燈光下的奇蹟廣場，有另種風味。

情報

3 很貴的餐廳卡巴諾，Antica Trattoria il Campano，地址是Via Cavalca 44。就在奇蹟廣場的南邊巷子裡。

4 便宜的旅館有不少家，訂房可以透過比薩觀光服務處，電話是：050-830253。網址：pisa.turismo@traveleurope.it。當地有好幾家每晚大約二十歐元的小旅館，也有只收女客的：Casa della Giovane，地址是Via Corridoni 29，電話050-43061。

●比薩的斜塔。

耶穌十字架在盧卡

我不是個有宗教信仰的人，但對有些宗教裡的故事卻很有興趣，而且宗教和歷史、文化，乃至於一般人的生活都有很密切的關係，去歐洲更不能不知道宗教，我覺得義大利最有趣的宗教故事便是神蹟。

所謂神蹟大都是指耶穌死後的傳說，像是最後晚餐中耶穌拿的酒杯，好萊塢電影『聖戰奇兵』裡說，聖杯是在中東，拍攝的地點則是約旦的佩特拉。像是存放十誡的法櫃，電影『法櫃奇兵』也有演，說是被德國人挖出來，石塊上的十誡已化成灰。聖杯的下落，說法太多，倒是法櫃比較確定，大部份的說詞都指向伊索匹亞。

在義大利也有許多神蹟，例如北義的杜林有屍布，這是塊亞麻布，據說耶穌從十字架上被取下來後，就是用這塊布包裹，因而布上留有清晰的耶穌面貌。一九九七年屍布意外的被火燒了一截，幸好搶救得宜，目前存放在杜林主教堂祭壇上的一個銀質箱子裡。

坐在盧卡火車站前吃冰淇淋的台灣查某，吃相很有問題對不對。

還有一個更有名的，據說耶穌死後，那個十字架上留下他的身影，十字架便在盧卡，每年九月十三日會從教堂裡扛出來遊街，是盧卡最重要的一個宗教活動。

我去盧卡，十字架是原因之一，最主要還是這個山城既美麗也壯觀，羅馬人在西元前二世紀將它納入版圖，此後一直是重要的軍事據點，因此盧卡的城牆很寬，上面可以走兩輛汽車。整個造型像隻烏龜，有十個城門和護城河，現在護城河已成了一大片的草地，城牆上種了大樹、安放了長椅，變成公園。到了十四世紀，絲路一直延伸至此，是當時絲綢在歐洲的重要集散地。

從佛羅倫斯出發，在火車站險象環生，所有的人都上了車，可是火車遲遲不開，義大利人又很沒有耐心，在車上每隔三分鐘就有一個新謠言，有的說這班車不走了，大家趕快換到旁邊那輛去。有的說司機喝醉了，鐵路公司正在找代班司機。偏偏那天的人特別多，趙薇努力用她很破——嗯，好吧，很流利的義文到處打探消息，我則一動不如一靜在車上睡回籠覺。一陣忙亂，車子終於在一個小時後開了。

在這裡我得吐吐槽，義大利的火車除了歐洲之星外，誤點是常事，我和趙薇曾在阿列佐車站受困兩個小時，從這個月台奔到那個月台再奔回來，我被迫還得跑去站外買披薩和水回來，一副逃難的景象。

盧卡車站的正對面便是古城，闖進眼簾的是綠油油的草地和猙獰的巨大城牆，可是在火車上實在待太久了，趙薇一屁股坐在路旁的冰淇淋店門口，對，吃完冰淇淋再走。

由左前方的聖塔瑪莉亞城門進去，最先遇到的是拿破崙廣場，因為拿破崙曾封他的姐姐為托斯卡尼公爵，坐鎮在這個軍事重鎮，當地人顯然很懷念拿破崙。廣場的右邊筆直下去便是大教堂了，耶穌的十字架就存放在這裡。

我和教堂裡的人鬼扯，總算弄明白，原來耶穌被釘在十字架上時，有個人親眼目睹，他後來根據耶穌留下的身影，重新刻了一下，使它更清楚。

不過盧卡最動人的地方是在劇院廣場，沿著飛路狗街（Via Fillungo），會發現路邊有個拱形的門，周圍和上面全是房子，穿過門眼神一亮，居然是個被房子圍住的廣場。原來這裡本來是羅馬式的半圓形劇場，後來有些居民把房子蓋在看台上，慢慢將整個廣場包圍住，形成了一個城中城。

我們坐在廣場上的餐廳露天座位吃中飯，看著樓上人家的廚房、出來晒衣服的老媽媽，盧卡人的生活便在我身旁。這個感覺後來更強烈，我在回程時與趙薇坐在城牆上的公園看夕陽，突然另一個老媽媽對著下面的一群日本觀光客放聲大罵，隔壁一個老人很感慨的告訴我，觀光客太多了，打擾了他們日常的生活。

我趕緊說我不是日本人，但我卻無法擺脫觀光客的身分。這是古城居民共同的悲哀，他們每天的生活都要被一隊一隊、一群一群的觀光客干擾，觀光客帶來收益，也帶來打擾。這是個美麗的城市，大部份的居民仍住在城牆圍住的十五世紀建築裡，而不像比薩那樣的觀光區與住宅區有較大的區隔。

為了表達我愛這個城市，我決定好好喝個咖啡。當地最有名的是西蒙咖啡，他們的

我爬上高塔拍盧卡，看到中間那個圓圓的空間沒，就是劇院廣場，不鑽進小巷子還真找不到這個地方。

小巷子也有餐廳，桌椅擺在街道旁，讓每個經過的人都可以看看我晚餐吃什麼。

盧卡的城牆，前面的草地原是護城河。

●存放耶穌十字架的主教堂，造型也很比薩，用大理石來做教堂的正面。

●盧卡的城門，很特別，有一個大的和兩個小的。

●主教堂的側面和鐘樓，後面是綠油油的托斯卡尼丘陵地。

1 劇院廣場的一角，從他們的房子就可以看出來不是一體規劃的，而是各建各的，卻也有混亂的趣味。

2 Di Simo Caffe 的大門，櫥窗內的甜點吸引每個人都會停下來，我沒有停，我直接進去就吃。真是堅毅果決。

冰淇淋和甜點都很有名，我不能再吃冰淇淋啦，吃甜點吧。一杯瑪其雅朵要兩塊五歐元，一塊奶奶的蛋糕塔要三塊半歐元，他媽的，搶人喲。我也不能不說，這家咖啡店裡面陳設很古雅，很適合帶女朋友去，咦，我的女朋友呢？趙薇，妳不能再吃冰淇淋了。

情報 INFORMATION

5 **盧卡最好的咖啡店：Di Simo Caffe，地址是Via Fillungo 58。**

6 盧卡周圍還有很多好玩的地方：

科羅迪（Collodi）：這是小木偶的故鄉，作者卡羅．羅倫奇尼是佛羅倫斯人，小時候曾住在這裡，便把小木偶生長的地方設定在科羅迪，現在這裡有個小木偶公園。科羅迪還有一個巴洛克建築的大莊園，Villa Garzoni。從盧卡搭巴士去，要坐往Montecatini的，但得先問清楚，巴士經常不停科羅迪。

Bagni di Lucca：離盧卡很近，坐Lazzi巴士可以到。這裡的水有治病功能，英國詩人拜倫、雪萊都曾來過。

Barge：一個很小的山城，視野非常好，建於十二世紀，房子都很風霜味，從盧卡坐CLAP巴士去要一個小時十五分，喜歡拍照的人可以冒險去試試，保證拍回一堆和托斯卡尼其他古城不一樣的畫面。

e to Siena,
no

3 在佛羅倫斯主教堂頂樓見

冷靜與熱情之間的差別是四十九階

一本小說家辻仁成和江國香織合寫了一套小說叫《冷靜與熱情之間》，男女各寫一本，寫的是同一個故事，男的寫男主角的部份，女的寫女主角的部份，兩個主角約定十年後在佛羅倫斯主教堂的頂樓見面，非常浪漫。

台灣和日本的書迷看完《冷靜與熱情之間》之後，變得極端不冷靜，去了佛羅倫斯都要上教堂的屋頂，我家的趙薇是其中一個，她抵死也要上去，我不怕爬樓梯，不過因為要上屋頂的人太多，得很早起床就去排隊，偏我是那種抵死也不肯不睡懶覺的人。趙薇熱情，我冷靜，我還是很早起床，不然我會死得很難看。

佛羅倫斯主教堂又稱百花聖母教堂，它的旁邊有個八角形的洗禮堂和高八十五公尺的鐘樓，是當地最著名的景觀，教堂的圓頂更有名，連米開蘭基羅都嘆為觀止的說，他可以蓋出更大的圓頂，可是絕對不能再比它壯觀了。

我們一早起床爬教堂，其間能看到圓頂內部文藝復興時期大師瓦薩利的大作『最後的審判』，而爬到頂樓一共有四百六十三級階梯，愈高階梯愈窄，如果帶個穿短裙的美眉來就好了——我想太多了，請當我發神經，別認真。

的確，在頂樓上能把整個佛羅倫斯都收進眼底，趙薇很感動，她抓著我的手問我是不是想掉眼淚？我來不及回答，她已經紅了兩眼。

好吧，能讓女人掉淚，我辛苦爬上來也算有代價。

下了樓，我看書上寫說，其實要爬應該去爬旁邊的鐘樓，只有四百一十四階，比主教堂少四十九階，而且鐘樓所看到的風光還包括了主教堂的大圓頂，也沒有太多人去，省得我早起排隊。趙薇完全不接受這個看法，處女座的女人頑固起來，牡羊座的男人一點辦法也沒。她說：

『不在主教堂的屋頂，哪來的浪漫。』

嗯─哼─嗯─喲─我完全不懂，我不但不懂主教堂和鐘樓的差別，更不懂男人和女人的差別，奇怪，少爬幾階不是很好嘛。

既然早起，乾脆來趟文藝復興之旅，我的路線是由北往南，先到學院美術館，米開蘭基羅的大衛像原作便放在這裡。順著卡佛大道往南，聖馬可修道院、聖羅倫佐教堂，然後稍微離開路線的往西，去商人廣場附近的*ZaZa*餐廳吃中飯，可以坐在廣場上啃番茄醬牛排。

中飯後回到卡佛大道繼續往南到主教堂廣場、但丁之家、領主廣場，這裡再看一看仿造的大衛像擺在廣場前風吹雨淋。喔，可以喝杯咖啡了。再去烏非茲美術館，沿著河朝東走又去聖十字廣場，這時趙薇的浪漫也該被磨得差不多，好，去略北的維我利吃冰淇淋。

1 佛羅倫斯最美好的地方就是到處都有這種甜點店，簡直隨時隨地準備流口水。

2 熱愛佛羅倫斯另一個重要原因是它很宏偉，卻也很親切，每個歷史古蹟都和日常生活混在一起。

3 聖十字廣場上的銅像，我坐在這裡休息很多次，只是鴿子糞太多。

4 學生、遊客，佛羅倫斯雖然古老卻又很有朝氣。

1 佛羅倫斯主教堂又稱百花聖母教堂。

2 炭烤青菜，配牛排最好。

3 ZaZa的招牌菜：番茄醬牛排，是菲力，也先經過炭烤。

4 甜點上來了，杏仁巧克力派。

5 隔壁桌的瑞士人替我們拍的，因為去了教堂頂樓，趙薇認為此行還算浪漫。我卻說，也很浪費。

接近黃昏，趙薇帶我去亞諾河上的舊橋，她以前在這裡留學過一個月，便住在河邊，每天都會帶著自己做的三明治來到河邊一面吃一面想念我——什麼，不是想念我？好吧，反正她會在這裡想跳河。

趁著天快黑的走上舊橋到河南岸去，往山上的碧提大廈去散步，直到兩個人都想把兩條腿剁了，才回車站附近吃佛羅倫斯牛排。

情報 INFORMATION

1 遊客服務處在車站對面，絕對不是車站裡面那個，千萬別上當。可是車站對面那個人很多，還有兩個好地方：一個在聖羅倫佐教堂的斜對面，一個在聖十字廣場上，人少很多。網址是www.firenze.turismo.toscana.it。

2 所有博物館的開放時刻表，可以在遊客服務處拿到，別忘了問他們有沒有公共廁所的地圖，免得到時候你抱著膀胱要跳河。

3 去烏非茲美術館排隊會排死人，其實可以預約，不過大多得前一天預約，然後你可以在許多人羨慕的目光下，不排隊的由預約的門走進去。電話是055-294883。

●海神像，他的肌肉是練身體男生的模範。

帶杯咖啡上聖吉米拉諾的高塔

有一萬個去佛羅倫斯的理由，卻也有一個讓我想逃離它的理由，人多哪。佛羅倫斯的人口約五十萬，可是在五月到九月的旅遊旺季，觀光客人數可以到達一百乃至於兩百萬。逃離佛羅倫去哪裡呢？我的第一個念頭便是聖吉米拉諾（San Gimignano）。

第一次去聖吉米拉諾是很久以前的一個冬天，只打算留一晚，天上還飄著小雨，沒想到走進小城之後，彷佛腳上長了強力膠似的竟留了四天，臨走還依依不捨。當然，後來換成夏天，才到城門口就想回台北了。

從佛羅倫斯去聖吉米拉諾，先坐回火車或巴士到波吉旁西（Poggibonsi），再換巴士上山，巴士到達終點時，我睡得迷迷糊糊，突然間起來下車，一個中世紀的城門便在眼前，我還以為坐的那班巴士是時光列車哩，否則怎麼一覺醒來居然到了茱麗葉與羅密歐的時代。

順著聖喬瓦尼街，一路都是上坡，兩旁則是特產、藝品店，沒多久便到了主教廣場。在義大利最不用頭腦的莫過於一切都在主教廣場。

這個山城出名的地方在於有十四座高塔，十一世紀起，為了防禦敵人而開始建塔，後來商業興盛，有些塔根本用來晒染色之後的布匹。我逢山開路，遇水架橋——不，我

1

1 聖吉米拉諾的城門，是不是回到中世紀的感覺，我在巴士上剛睡醒，第一個印象很震撼。

2 我捧著咖啡站在聖吉米拉諾高塔上看著下面的狹窄的古街和遠處的托斯卡尼原野，有點滄桑吧。

3 小小的廣場正中央有口井，長滿藤的四層樓房子是四星旅館，別小看它，一晚要兩、三千歐元。

4 十六世紀的名畫，聖吉米拉諾的守護者。

逢山便爬，遇塔則上，天生勞碌命。究竟為什麼愛往高處去消耗剛吃完的披薩呢？塔頂看風景視野比較廣是理由之一，另一個更重要的理由則是我喜歡偶爾有孤獨的感覺。在沒有其他遊客時爬上聖吉米拉諾的塔，冷風往脖子裡灌，掏出辛苦帶上去的咖啡和麵包，我可以坐上一兩個小時。

原來這座城有七十二座塔，可惜拆掉了不少，從遠處看聖吉米拉諾，聳立在地平線上的高塔便成了最特殊的景觀。最高的一座是格羅沙塔，由於年代已久，塔內搭了不少鋼架，我愈爬愈怕，如果塔不會倒，他們造鋼架做什麼呢？我還年輕，我還有好多事沒做。但是最後到了塔頂，我不再怕了，看著下面幾乎被房屋全遮住的窄小巷道，雨水不時飄進塔內，我一個人拿出熱騰騰的咖啡，冬天真好。

1 廣場上的雙塔，不是水塔。

2 遇到一個全身盔甲的武士，因為下雨，我真擔心要是他生鏽了怎麼辦？

主教堂後面還有座小小的城堡，第二天我改到這裡來喝咖啡，能看到山下托斯卡尼綠色的原野，而入夜後只見商店打烊，做生意的當地人一個個開著車離開古城回家去，我更孤獨了，踩在石板路上，周圍全是陰暗的巷道，我沒想到開膛手愛德華，倒是想起福爾摩斯。

會在聖吉米拉諾過夜的遊客很少，大多是白天從佛羅倫斯或席耶那坐著大觀光巴士來的，在此停留一兩個小時又嘩啦的走了，於是聖吉米拉諾和我相依為命，喔，餐館除外，遠遠只看到小巷子有盞昏黃的燈，走近才知道是餐廳，打開門，熱騰喧鬧的人聲全湧過來，好像所有留下來過夜的人全集中在這裡。

聖吉米拉諾是個適合放鬆心情、嘗試孤獨的地方。

情報 INFORMATION

4 這家好餐廳不能錯過，Le Vecchi Mura，地址是Via Piandornella 15。電話：0577-940270。當然，在托斯卡尼的山城，菇和野豬肉遠比海鮮好。

5 聖吉米拉諾因為住民少，空房多，所以有很多房間出租（camere），可以在主教堂廣場旁的另一個廣場（其實是連著的）Piazza della Cisterna 6找Associazione Strutture Extralberghiere。問問有沒有房間，他們會代訂，一個晚上約三十至四十歐元，浴廁共用。

好吃懶做的快樂席耶那

孤獨會迫使人不斷的走下去，也會對新的地方充滿期待，包括艷遇。

離開聖吉米拉諾到了波吉旁西，再坐火車往南，才吃完麵包，席耶那就到了。站前有很多巴士去古城，也就是著名的扇形廣場，司機是個中年人，他正在巴士前抽菸，我問他去廣場嗎，他點點頭，接著我送上一根長壽，他看著菸盒上的英文字：Long Life，哈哈的笑個不停，他掏出義大利菸，用義大利話和手勢表達了半天，我懂，他可能要去選議員，主要政見就是建議義大利政府把『Long Life』兩個字印在菸盒上，替代什麼『抽菸會致癌』之類的警語吧。

因為長壽的關係，司機對我很親切，到了Piazza Gramsci，他還熱心的拉著我下車，說穿過巷子就是扇形廣場了，而回車站也要在這裡坐巴士，他指著地面，這回換我哈哈哈了，因為他們沒有巴士的站牌杆子或招牌，而是寫在地上。

扇形廣場依照中世紀席耶那主要九個主要商人團體分成九塊，中間還有個噴泉。我最想看的是這個噴泉，它的名字叫『快樂』，在十四世紀中期，這裡原來豎立的是座維納斯石像，那時黑死病籠罩整個歐洲，席耶那死了三分之一的人口，總算結束這場浩

1 席耶那扇形廣場最有趣的是周圍的老房子，全是商店。

2 好吃懶做大鐘樓，怎麼看它都不好吃懶做，還滿勤奮的挺著腰站在那裡，看看都覺得累。

3 請注意正中央那棟三層有拱形窗的房子，一樓賣藝品、雜貨，我曾在這裡問到一家很棒的餐廳，並吃到席耶那的兔肉。

劫，當地人怪罪維納斯，把它敲成碎片，在原地建了快樂噴泉，以示黑死病不會再來，大家會永遠快樂。

對唷，經過苦難的人才能體會快樂，而且快樂不一定要付出高價，只要平安就能快樂。

席耶那給人快樂，扇形廣場由古老的房子圍住，走進其間任何一條小巷子都能有新的發現，沒錯，快樂。黃昏時躺在廣場的一角，看著飛來飛去的鴿子，沒錯，也是快樂。

和其他古城不同的，城中心不是主教堂而是市政大樓，就在扇形廣場的正對面，也有座高塔，是全托斯卡尼最高的古塔，一百零二公尺高，我又爬了。和佛羅倫斯或聖吉米拉諾的感覺不同，看的是寬廣的扇形廣場，只見觀光客放慢腳步的在廣場上散步，我遠離了擁擠和嘈雜。

等到下了塔，我順便逛了逛這棟哥德式建築的市政大樓，我還忍痛付錢租了導覽耳機聽，有趣了，原來那座塔叫Torre del Mangia，Torre是塔，Mangia是一個小子的綽號，全名是Mangiaguadagni，意思是好吃懶做。他不是偉人，而是這座塔的第一個看守員兼敲鐘人，他好吃的程度和我有得拚，但怎麼會用麼個傢伙的名字來為塔命名呢？

席耶那一條小路和小城門，很適合吃飽後散步。

離開廣場，我逢書店便去翻，給我找到了，敲鐘人固然好吃懶做，可是他過得很快樂，吃飽睡，睡飽吃，好不容易想起來該去敲鐘，也敲錯時間，全席耶那的人可能羨慕死他，否則為什麼把塔叫做『好吃懶做』呢？

嗯，搞半天，席耶那竟是如此充滿快樂的城，沒艷遇也罷。

市政大樓的後面有個商人廣場，我在這裡找到全義大利最大的公共廁所，而且還在古蹟裡，對著幾百年的牆撒尿，哈，我更快樂了。

情報 INFORMATION

6 著名的中世紀賽馬（Palio）每年的七月十二日和八月十六日在扇形廣場舉行，不怕擠的人別錯過。

7 別忘了去壯觀的聖多明尼克教堂、雄偉的梅迪奇要塞，在扇形廣場的西北邊，大部份觀光客都只流連在廣場，其實這兩個地方也很棒，有公車可到，走的去更好，在義大利要隨時找消耗熱量的機會。

8 去爬塔要留意幾件事，下雨天不准爬，即使不下雨，每次也只能上去三十人，又要排隊了。

9 要找旅館或房間，可以試席耶那旅館推動協會，網址www.hotelsiena.com，電話：0577-288084，位於聖多明尼克廣場。

s to
ast

4 半空中的阿瑪非天堂

那不勒斯的披薩，加起司的或不加起司的

到義大利不能不吃披薩，尤其是發源地的那不勒斯（拿波里）。最近他們為了確保優良的傳統，鼓吹真正的披薩，還發特殊的招牌給製作傳統披薩的店，但什麼才是傳統的、真正的披薩呢？其實就是講究原味，除了麵皮要脆要香之外，使用的材料也以番茄、橄欖、起司、羅勒、火腿等為主，尤其是番茄。

那不勒斯發起的『披薩正名』運動，最初是擔心這項傳統的手藝失傳，我倒以為可能是披薩幾乎成了全球性的食品，各國有不同的做法，像是美式的更講究材料的多樣化，連鳳梨都用上去；像日式的講究華麗化，我還吃過鮪魚披薩。如果義大利的披薩受到影響，將來吃披薩就未必要去義大利了，這使那不勒斯的業者很緊張，把這項運動如今發展成全國性，免得被鳳梨披薩給壓倒。

我熱愛披薩，曾經吃過最棒的竟然在西班牙的巴塞隆納，位於畢加索美術館的巷子口。那天我本來打算離開美術館就馬上逃亡，因為附近人實在太多了，可是走到巷口一看溫度計，老天，四十三度，而公車又死也不開來，正等著，忽然看到有家餐廳前面大排長龍，我愛湊熱鬧的細胞一個個跳動起來，走上前去一看，哈，披薩店。大熱天我吃不下別的東西，披薩則再熱也可以。

好不容易排到座位，點的第一個披薩是番茄的。我坐在烤爐前，看著老師傅在麵皮上抹醬料，把披薩送進烤爐，我那時已聞到新鮮的番茄香味，胃口大開，果然，披薩送到面前時，番茄汁在麵皮上仍如同寶石般的流動，一口下去，全是素淨的餅味和番茄的鮮味，尤其番茄汁和餅混在一起時，那股清涼勁足以讓我捨棄不倫的念頭。

說著，我又馬上再點一個淡菜披薩。淡菜像是海瓜子，也是連殼放在麵皮上便烤，只見淡菜裡冒出的汁液也沒被烤乾的在餅上滾來滾去，吃進嘴裡盡是海的味道。

我的心得是，披薩的材料要新鮮，麵皮要香脆。本來我不是番茄的狂熱支持者，但那次之後，我愛上番茄，回到台北還苦練熬番茄醬汁的本事，成為本人的三大手藝之一，另外兩項是黃金雞湯和叫老婆做菜。地中海的農產品有三樣好東西：橄欖、葡萄和番茄了。這使我對重回那不勒斯充滿期待，我想，披薩的故鄉有更美味的番茄醬披薩嗎？

那不勒斯最有名的一家披薩店是Trianon da Ciro ，它在一九二三年開張，中午十點起、晚上六點起，門前排的隊始終沒斷過，目前的老闆已是第四代，光這點就很讓我覺得很了不起，更別說幾年前美國時代周刊還把它選為全世界最好的披薩。

吃吧。披薩上的番茄香味仍然先傳進鼻子，上面的摩茲瑞拉起司、蒜片、羅勒葉，都很簡單，卻能更明確的吃到麵皮的味道，而不像台北吃到的連鎖店披薩，麵皮早被上面亂七八糟一大堆的東西給壓得只成為配角了。這家拿手的是Pizza Trianon ，翻譯成中文應該是『招牌披薩』，除了番茄醬汁之外，還有包括橄欖、火腿、起司等八種材料排

Dal 1934
Marino
Ristorante
Pizzeria
VERA
PIZZA
Napoletana
3
1
4
2
PIZZERIA
da MICHELE

1 張國立的偶像但丁，熱愛但丁只有一個原因，如果他改成『蛋丁』會不會讓人想起布丁？

2 蜜雪兒披薩店Pizzeria da Michele，每天都大排長龍，中間有個女人叫趙薇的擺著一張臭臉走出來，因為她判斷我們可能要三個小時之後才能排得到位子。

3 下面長方形的招牌代表這家餐廳做的是傳統、道地的那不勒斯披薩。

4 這種晒衣服的場面很壯觀吧，在街道窄小的那不勒斯舊城區裡面非常混亂，可是我覺得很有人味，喔，我指的是衣服、被單在晒的同時也會散發出來的氣味。

5 那不勒斯當地的甜點，檸檬口味的，連張國立都覺得太甜了。如果說甜食代表感情，那不勒斯人也未免太豐富了點。

6 加了起司的披薩，我熱愛起司，會使披薩更有味道。

7 當地大學和蔚藍的天空。

在麵皮上。

接著，我再到另外一家，Pizzeria da Michele，歷史更有一百三十年，而老闆更頑固到只做兩種披薩：有起司的和沒起司的。幸好我已愛上番茄而愛起司則起源於盤古開天，否則會排了半天隊然後進去鐵會對老闆說，我要『氣死』的。我好奇的是，開這家店的兩兄弟一輩子做同樣的兩種披薩會不會煩哪，可是看起來他們好像樂在其中。

那不勒斯的披薩大小都是為一個人可以吃完而設計的，大概比我的臉要大一點，平均每個約四歐元，因為店小，不收檯布費，倒是可樂一瓶要一歐元讓我很心痛。我和趙薇有時兩人分一個披薩都覺得很飽，奇怪的是義大利男男女女都能一個人幹掉一個，連小孩子也如此，他們真是好肚量。

我一連兩天，頓頓都是披薩，趙薇快跟我翻臉，她覺得那不勒斯的披薩比較鹹，我看這和她吃不慣鯷魚與義式香腸有關吧。

不過說老實的，那不勒斯固然是披薩的故鄉（龐貝古城便在旁邊），其他地方的披薩也未必不好吃，傳統重要，開發也重要，像我對巴塞隆納的披薩便始終無法忘情。什麼時候再去西班牙喲。

至於披薩和蔥油餅到底有沒有關係？我覺得張飛打岳飛，因為麵皮就不一樣，再說一個是烤的，一個是煎的，倒是和新疆的餅『ㄋㄤ』有點像，後者也是烘出來，只不過披薩放進烤爐就著火來烘，『ㄋㄤ』則是貼在高熱的烤爐內層烘。

出國旅行我一直認為有三樣食物不但好吃也方便，一是日本的飯糰，中間加粒梅子就很好吃。二是義大利的披薩，到處都有，都好吃也便宜。三是麵包，告訴你們一個秘密，新光三越信義店地下層每天下午六點出爐的限量起司麵包很贊，一下子就賣光，千萬要試試。

那不勒斯是個很嘈雜的城市，我這次住在火車站附近的一家小旅館，因此每天進進出出只見周圍全是『外國人』，包括非洲來的黑人擺攤子賣韓國成衣，大陸來的移民賣中國玩具，韓國來的地攤客賣台灣手錶，義大利的小商店賣香港做的T恤，讓我陷入商品錯亂之中，不過再仔細細想想，他們一定都從某地方切貨來的，當然也不在意是不是賣本國貨。

從羅馬到那不勒斯的火車上，趙薇認識了一個北京去瑞士念書的女孩（真的是趙薇認識的，我連看也沒多看她一眼），她說早就聽說不到義大利等於沒到歐洲，而她也快念完書要回家了，利用假期來闖蕩一下。我很好奇她怎麼會選那不勒斯，但我沒敢問，因為趙薇瞪起眼睛來會殺人於無形。我想她會不會也是聞披薩香味而來？那個女孩比我和趙薇還狠，自己帶了好幾個保鮮盒，顯然碰到好吃的即使吃不下也可以隨時打包，以後要學習。

1 港口邊的新堡，裡面有個美術館，另外那不勒斯還有個『蛋堡』，但絕對沒有漢堡。

2 港口內停滿了遊輪，可以感受到當地觀光的人氣。

3 那不勒斯的街頭到處都是摩托車，很像台灣，而且很多摩托車也是台灣製造的。

我要特別推薦那不勒斯火車站的旅客服務中心，各國來的揹包客都在前面排隊，使我一度錯以為又是披薩店。裡面有位白髮老先生，幫人訂旅館、幫人指引方向，遇到這種事情最好由女生出面，果然，趙薇一坐進去，明明問的是旅館怎麼走，都可以坐到幾乎讓我以為要住在服務中心的地步。服務中心很好找，出了月台左轉，看到一個警察辦公室，就在旁邊。比起佛羅倫斯的車站，那不勒斯的老先生像天使。趙薇走出來時，她手上的地圖已經被紅筆畫滿了圈，趙薇告訴我，每個圈代表一個好吃的餐廳。

我一直認為『義大利』根本是個大餐廳的名字，而『那不勒斯』則是披薩店的名字，不然怎麼會把張精美的地圖塗成米羅的畫呢。

情報 INFORMATION 1

那不勒斯不能不吃的披薩店，都不收信用卡，都在星期天休息：Trianon da Ciro，地址是Via Da Michele,42/44/46，電話：081-5539526。不能不吃：Margherita, Pizza Trianon。

Pizzeria da Michele，地址是Via Cesare Sersale 1/3，電話：081-5539204。不能不吃：只有兩種，加起司的和不加起司的。

Sorbillo，地址是Vie dei Tribunali 32，電話：081-446643。不能不吃：Pizza al Pesto。

最接近天堂的拉維羅

到那不勒斯可以說是『經過』，真正的目標則是阿瑪非海岸，據說這裡是天堂，而且真的在半空中。

從那不勒斯坐火車先到薩雷諾（Salerno），車上很空，我和趙薇興奮的以為這麼短的距離不會有人查票才對，就跑去頭等車廂，沒想到查票先生來了，我想逃，趙薇卻覺得沒面子，這是男人和女人的差別，男人要銀子，女人要面子。

本來這趟車二等的一個人要七塊半歐元，一等則要十二塊半，差了五歐元。女人為什麼可以要面子而不要十歐元呢？可以吃兩個披薩外加兩瓶可樂哪。算了，當我沒說。

在薩雷諾的火車站前有巴士站，可以去阿瑪非海岸，終點是蘇連多，就是民謠裡那個『蘇連多岸美麗海洋，晴朗碧綠波濤靜盪』的蘇連多。海岸的公路很窄小，比我們的蘇花公路還精采，因為巴士幾乎每個轉彎都有可能摔下去，而義大利的司機又愛聊天，坐起來很恐怖。對了，義大利的長程巴士下層都可以放大件行李，如果司機沒

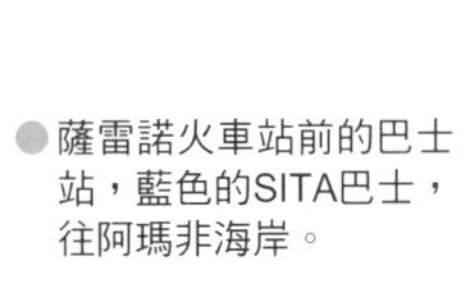

薩雷諾火車站前的巴士站，藍色的SITA巴士，往阿瑪非海岸。

開，可以向他比個手勢。我比了手勢，那司機很高興，我猜他可能以為我要坐行李廂，趙薇一個人上車。他想太多了。

歐洲的地中海岸有幾個著名的度假海岸，最南方的是西班牙的黃金海岸，其中最大的城市叫馬拉加，英屬直布羅陀也在那裡。最東方的是希臘愛琴海的密克諾斯島，其他三個分別是法國尼斯到義大利間的一段海岸、義大利中部的阿瑪非，和義大利西北部最近紅透了的五個海灣（熱那亞南方）。我以前去過阿瑪非，初冬時節，遊客很少，加上海風大，比較體會不出，不過那是追趙薇的緊鑼密鼓階段，因而住了海岸邊的月亮（Luna Convento）三星大旅館，這原是一座修道院，建於一二二二年，過去德國的鐵血宰相俾斯麥、義大利的獨裁者墨索里尼、著名演員英格麗·褒曼、名劇作家田納西·威廉都曾住過這裡，它建在懸崖邊上，走下階梯便是海浪濤天的海岸，而即使這麼險峻的地方，靠著海還有一處圓形的古堡，如今改成酒吧餐廳，也是賞海的好地方。

在歐洲住旅館，如果捨得花錢，最好是選擇古堡或修道院改建的，每家都有不同的特色，甚至每個房間都不同，比起連鎖式的五星飯店要過癮多了。月亮在阿瑪非的東邊，西邊另有一家也是修道院改建的三星飯店叫卡布奇尼修道院（Cappuccini Convento）也很棒，不過價錢也很貴，旺季時都在四百歐元幣以上。月亮飯店負責經營的是位老媽媽，她的人很和氣，還請我喝果汁。不過現在我已經結婚了，趙薇總該嫁雞隨雞過起堅苦的日子吧，我們不住阿瑪非，在阿瑪非的碼頭前再換當地的巴士直接上山去拉維羅（Ravello）。

1 這是我在阿瑪非吃的第一頓，海鮮麵，用的是較粗的麵條，咬起來很過癮。

2 番茄醬的餃子，看起來就讓人有胃口，趙薇則認為血淋淋的。她很難侍候。

3 吃飯啦，今天中午有魚，老美不吃整條魚，他們覺得可怕，老義則不在乎。

4 番茄醬的麵疙瘩，我超愛麵疙瘩，義式、中式都愛。

5 阿瑪非教堂下的餐廳，看到Ristorante這個字，就代表這家餐廳要收檯布錢。

6 我最愛的糕餅店，在公園旁，要買很多帶在路上吃，我不怕找不到旅館，就怕沒甜點吃。

7 小巷子裡的一家餐廳，我去吃過三次，可見非常好吃。

8 阿瑪非教堂的正面，要爬一大段的台階，很傷人。

9 教堂旁的鐘樓，它定時會響，每次響都和我的手錶對不上，我覺得不是手錶有問題，而是敲鐘是用他的情緒來敲，不是報時，而是表達快樂。

8 6
9 7

拉維羅在阿瑪非海岸後方的山上，其實並不很高，可是陡峭，巴士途中經過一個山谷叫做龍之谷，是因為早晨濃霧而得名，可見這裡的地形起伏很大。

巴士停在一個隧道口，穿過隧道便是主教堂廣場，也就是拉維羅小鎮的中心了，不過我們訂的旅館在鎮外，兩顆星的聖杯大飯店（Graal），趙薇本來罵我小氣，等進了房，拉開窗簾，放眼望去竟是蔚藍大海，她不再多嚕嗦，而我在小陽台上也度過兩個充滿詩意的晚上。周圍一片寂靜，薩雷諾海灣內的海水在月光下，有如微皺的銀箔紙，整片整片緩緩的移動，而山下只有泛射黃色燈光的教堂，鐘樓不時響起鐘聲，忽遠忽近，和狗叫聲偶爾在夜空中相遇。怎麼樣，很詩情畫意吧。

外國觀光客把拉維羅列為阿瑪非海岸，甚至全義大利最美麗的地方，因而才稱這裡是天堂，但天堂指的就是這麼美麗的夜晚？

我抬起看見月亮，想起張愛玲的小說，我說，我們看到的是同一個月亮嗎？

趙薇從浴室出來，她一巴掌打在我後腦勺說，發神經呀，吃葡萄啦。對了，到義大利別忘了吃葡萄，和新疆吐魯番的葡萄都獨步東西方，我指的是綠葡萄，我說冰一下更好吃。又一記巴掌飛來。

拉維羅是羅馬帝國時代所建的殖民地，因而留下不久古羅馬的廢墟，到了九世紀才由阿瑪非海上帝國建成小市鎮。我去的時候是初秋，遊客較少，正巧也下著小雨，讓我見識到海面上的天氣變化的豐富無比。走在小山城裡，主教堂廣場不大，但那座不起眼的教堂卻也有上千年的歷史，黃昏時天空轉晴，夕陽直射在教堂的正面，如同鏡子般的光亮。

在拉維羅使我體會到天主教中經常提到的神蹟，因為太陽隨時變化，在海上和在山上，都形成許多奇特的景色，也使得早期的人們相信神的顯靈。

不過傳說中的天堂在哪裡呢？

從主教廣場一路往西，都是些小巷子，別擔心，當地的老義告訴我，一直往前走就是號稱義大利最美的莊園Villa Cimbrone了。我很聽話，突然間看到一個破舊的大門，我仍繼續往前走，終於走出樹林的看到天空，在蔚藍的天空前有座小亭子，裡面有個石雕像，但這些不重要，再往前，然後我站在半空中，一整個帶著雲朵的天空跳到我眼前。

這是天堂，因為莊園造在峭壁上，站在生鏽的欄杆前往下看，至少離綠油油的田野一百公尺，又因為距離海很近，人便處於海天的中間，被完全的藍所擁抱。我從來沒有如此的震撼過，那時剛下過雨，我幾乎產生伸手可以抓到雲的錯覺。而欄杆上也列著一排為風雨侵蝕的古老石造的胸像，我回到十個世紀以前的世界。

將近黃昏，我捨不得離開這裡，看著襯在天幕上的雲朵一片片的在我眼前移動，而不遠處的另一個峭壁上，有個暗灰色的古堡，隨著光線的變化偶爾露出它的鋸齒狀的城垛。時間似乎有時會停止，讓願意也隨之停止的旁觀者享受一下歷史上曾經有過的剎那。我到了天堂。

1 番茄起司是義大利的名菜，番茄清淡，正好可以化解一下起司濃郁的味道。

2 拉維羅老媽媽餐廳的綜合義大利麵，適合我這種好吃的傢伙，每種都一點點，免得脹死我。

3 兔肉配菠菜，記得喲，兔子是食物，不是寵物。

4 我隔壁那家旅館的頂樓酒吧和游泳池，你們知道便宜和貴旅館的差別了。

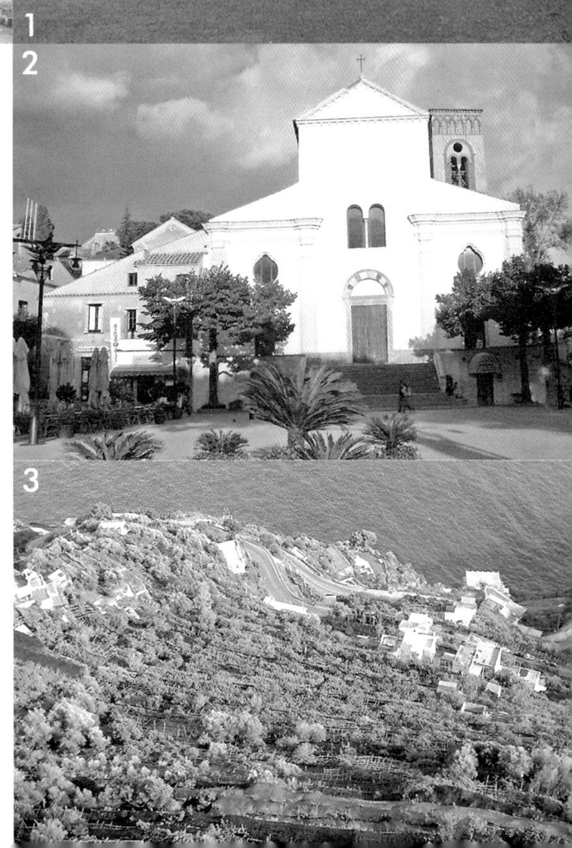

1 Villa Cimbrone小徑上的涼亭和雕像，這是天堂的起點。

2 黃昏時雲露出一個縫隙，夕陽的光線正好穿過，直射在拉維羅主教堂的正面，金黃一片。

3 腳下的田野，垂直的角度往下看，雖然不高卻很能讓我體會什麼是懼高症。

4 我和趙薇在這裡拍照的唯一用意是，看到背後的雲彩沒，是不是有伸手可以抓到的感覺。

5 Villa Rufolo房子很多，這是其中之一。

6 當地人告訴我這是拜占庭式的樑柱，帶有中東的風格。

在隧道入口處還有另一座有名的古老莊園Villa Rufolo，就設計上而言，它更複雜，也面對海，不過和Villa Cimbrone給人的驚訝感不同，而是平靜與安詳，由於著名作曲家華格納曾是拉維羅的常客，每年這裡都舉行華格納室外音樂節，要是遇到下雨也可移到室內，在拱形的石室裡聽演奏，迴音效果應該會帶給人截然不同的感受。

不管是不是天堂，沒有好吃的都不算完美，即使有好吃卻沒有令人滿意的甜點，則少了句點。我在拉維羅也像餓鬼似的找餐廳，聽說有家老媽媽開的店很棒，我五點就跑去，老媽媽叫我六點四十五分再去，而我真的準六點四十五分抵達，是全拉維羅第一個進餐廳的客人吧，趙薇說和我在一起常會很沒面子。記得我說的話吧，女人，就在意面子。

Cumpa Cosimo Trattoria做的是道地的拉維羅料理，可是我根本不知道什麼是拉維羅料理，無所謂，吃就是了。我吃的順序是：

綜合義大利麵（有細麵，有粗麵，有管麵，有餃子）、起司番茄、番茄管麵、兔肉、巧克力醬的甜點。

你們發現什麼問題沒？對了，明明有綜合義大利麵，我又點了番茄管麵。這證明兩件事：一，我餓昏了。二，我看不懂綜合義大利麵的意思。菜單上寫的是Pasta Misto，

張國立在尋找天堂的小路上留下倩影。

我懂Misto是英文裡的Mix，那麼我仍犯錯只能說，他媽的老子餓昏了，來兩斤肉、五斤麵和八斤酒喲。

老媽媽很愉快，她不停的穿梭在桌子之間還哼著歌。她哼到我們桌旁來時，唱的不是義大利歌劇，而是自己編的英文歌，歌詞大意是：『你們真能吃這麼多嗎？』

情報 INFORMATION

2

阿瑪非的修道院旅館，卡布奇尼修道院（Cappuccini Convento），地址是Via Annuziatella 46，電話：089-871877。從薩雷諾坐巴士去，在阿瑪非終點站下車，但還要再走十分鐘，都是上坡，有點嗆。

月亮修道院（Luna Convento），地址是Via P. Comite 33，電話：089-871002。從薩雷諾坐巴士去，可以告訴司機，它位於阿瑪非站的前一站，否則得多走十分鐘的路。

3

拉維羅的『作家』旅館，盧浮若（Rufolo）四星級，Via San Francesco，電話：089-857133。我沒住過，不過名作家D.W.Lawrence一九二二年寫《查泰萊夫人的情人》時，便在這裡尋找靈感。

卡魯索（Caruso Belvedere），Via Toro 52，電話：089-857111。我也沒住過，也是四星級，著名的作家維吉尼亞‧吳爾芙、格雷安‧葛林、田納西‧威廉都曾住過。

聖杯飯店（Graal）二星級，Via della Rebubblica 8，電話：089-857222。迄今為止我所知道的，只有一個不入流的作家叫張國立的住過。

價格：大致上四星的總要三百至四百歐元一天，三星的約二百五十至三百五十歐元，二星的則低很多，一百多歐元。我最喜歡一星的半星的，大概只要五、六十歐元。

循環線的波西塔諾

常有朋友用羨慕的口氣對趙薇說：『你們又去旅行呀，好棒呀。』趙薇則沒好氣的回答：『旅行？我們是去健行。』

好吧，我承認有虐待老婆的意圖，不過旅行不走路怎麼個旅法呢？再說我隨興的到處逛，不是也能發現許多新的經驗，還能強國健身咧。

有天我閒來無事，早上走出旅館便是巴士站，我說，走，坐車到山下的阿瑪非去。跳上巴士才知道，這條路線的巴士是從海邊的阿瑪非經過拉維羅再到山頂的史卡拉（scala階梯的意思），結果我們坐的是往上的巴士，得先坐到史卡拉，再回到拉維羅，再下山去阿瑪非。到了史卡拉，我又突發奇想的說，走，去逛逛史卡拉。

●山道間有家小小的商店，也賣咖啡。

●完全不管老骨頭挺不挺得住而走史卡拉天梯的老張，花傘是他老婆的，背包揹在前面則是怕被雨淋濕。嗯，忍不住誇他還滿聰明的。

●不知名的小村裡的鐘樓。

那天也是濛濛細雨，而史卡拉僅是個小鎮，廣場大概只有時報周刊編輯部的一半大，可是也有個遊客服務中心，裡面的美眉很熱心的拿出當地的地圖告訴我們有什麼好玩的。她愈說我愈沒勁，倒是她提到可以走條全是石階的山路去山下的阿瑪非鎮，這是為什麼這個小鎮叫史卡拉的原因。

趙薇聽到又要走路，幾乎快跪下來求我。嘿嘿，求我也沒用，反正丈母娘遠在台灣，此時不報仇更待何時。我們撐著小傘、冒著小雨、一路小心的開始冒險。在此我要大力推薦這個我發現的漫步道，雖然石級有陡、雨淋得很濕、老婆在旁邊念得很煩，但卻很有意思，因為山路旁都是依地形蓋的高高低低小房子，居民則多是種葡萄的農夫，他們看到兩個呆子很高興，不時和我們打招呼，甚至還帶我們去找一個年久失修、堆滿化石的公共廁所。

這趟山路走了一個半小時，渾身是水的出現在阿瑪非鎮後門，來來往往的觀光客都用好奇的眼光看我們，以為我們是原住民。哈，趙薇的腿軟到會發抖。愛出國嘛。

阿瑪非的腹地很小，離開碼頭與小小的沙灘，穿過雙線的車道，便是小鎮了，而百分之九十九的房子都造在山上，因而最主要的街道熱那亞大街根本是條巷子，兩側全是商店和餐廳，各國的遊客全擠在那裡不能動彈，趙薇開始崇拜我去住拉維羅的英明。

上次來是十月，這次是九月底，差沒幾天，夏天的觀光客還沒散去，可能想努力抓住夏天的尾巴吧。

為了表示贊許，我請趙薇去吃中飯，一個義式麵疙瘩、一條魚。這家餐廳的生意很好，上次來時是吃晚飯，很有情調，可惜這次把一個旅行團包下大半間，變得很吵。我一邊吃飯一邊看地圖，阿瑪非的旁邊有個小鎮叫阿特尼（Atrani），大部份的觀光客都會忽略它，因為它距阿瑪非只有一公里，所有的風采都被阿瑪非搶光了。

我說，走。趙薇很不情願，又要走啊。才一公里。

順著公路往回（往薩雷諾的方向）走，大約十五分鐘，看到一個平台式的廣場，站上去一看才知道，那是屋頂，不是廣場。

走到山下了，看到夾在兩座山當中的阿瑪非，覺得不虛此行。

再找樓梯下去，果然，廣場在下面，很小，被四層樓高的民宅環繞住，中間夾著條小弄，一頭往海邊，一頭往裡面的住宅區。根據旅遊資料，阿特尼的人口在旺季時約一千人，到了淡季，很多居民到內地去，可能只剩幾百人，所以很安靜。我們坐在廣場唯一的咖啡店前，望著周圍收衣服、叫大毛喊二毛的居民，馬上融入了當地日常的作息裡。

雖然和旅遊無關，但我一定要提，咖啡店由一個滿臉青春痘的高中生負責一切，他在煮咖啡時無聊，到處揮捕蒼蠅的電子拍，沒想到打到冰箱，拍子斷了，他再拿膠帶來黏，總算黏好，卻又發現連開關也黏在裡面。我在一旁看得快笑死。接著，你們知道，

1
2

1 阿特尼的小廣場，咖啡座空盪盪的正等著我的來臨。

2 走進這條小路才是阿特尼居民主要的住宅區。

3 阿特尼小鎮，最醒目的是教堂的圓頂。

4 夕陽餘暉下的阿瑪非。每次重看照片我都想再去一次。

5 要走這種窄小的階梯才能由公路走進阿特尼。

3
5
4

他再拆膠帶，哈哈，膠帶豈是好拆的。可能那天下午他只忙這件事就夠了，多麼慵懶的小鎮呀。

當然，我們離開拉維羅、阿瑪非後的重點不是史卡拉或阿特尼，而是另一個天堂：波西塔諾。

1 廣場的一角，阿特尼的廣場所聚集的反而多是當地人。

2 喝咖啡的趙薇，她很不習慣我這種走到哪裡玩到哪裡的作風，不過她後來也承認，有時也很有趣。

由阿瑪非到波西塔諾（Positano）有巴士，但，真是擠哪，因為這是整條阿瑪非海岸最主要的兩個海灘。波西塔諾大致上像是香港的赤柱、台灣的墾丁、希臘的密克諾斯，完全是度假區，都不大，可是很熱鬧，波西塔諾也是山城，公路旁有個坡度下降到海邊，而海邊也恰好有個沙灘。

波西塔諾分成上城和下城，被環海公路分開，下城靠著海，房子和遊客全路擠在這裡，上城則在公路邊的山上，就是比較清靜的居住區了。巴士停在公路旁，我和趙薇得揹起全部行囊的往下走，老天，我忘了問旅館的位置靠近哪裡，愈走愈低人愈多，問了店家才恍然大悟，搞半天我該在下一站下車，因為我的旅館在另一頭。

下城只有一條僅容一輛車通過的馬路，所以公車採由西向東的循環線，我正好走的是相反方向，連巴士也不能坐，一路艱苦的前進，看到著名的『海妖』飯店（Le Sirenuse），我興奮的大叫，這是諾貝爾文學獎小說大師史坦貝克於一九五三年為時尚雜誌《Harper's Bazaar》寫專欄時，長期旅居的地方。趙薇嗯了一聲說：『到底還多遠，史坦貝克？我看你背我好了，別背什麼克了。』

我這次得摸著良心說話了，爬完一個多小時的史卡拉，再走去阿特尼，如今流落到波西塔諾，即使走到旅館，如果要去下面的海邊，再走回來，這一天之內，我和趙薇其實可以去參加現代鐵人三項比賽。因而我忍氣吞聲的扛下她的行李，發揮革命的精神，走呀。

1 從我的旅館看波西塔諾的海岸，每個海岬都有一座堡壘，可見當年這裡是海防重地。

2 番茄麵包，他們用的是小番茄，切出來很漂亮。

3 Saraceno D'Oro餐廳的麵，小的管麵，都很有咬勁，可以咬掉我兩顆門牙，開玩笑啦，好吃唷。

4 過癮吧，是不是很地中海也很夏天。

5 由房間望出去，波西塔諾的天空蔚藍得像我的心情，我的心情？不就是春天的燕子嗎。

●山壁上都是旅館也都很貴。波西塔諾已經是南歐著名的度假勝地了。

晚上我在筆記本寫下：

記住，坐巴士到波西塔諾有兩個站，Transita是上城，Sponda是下城，事先一定要問旅館他們到底靠近哪一站，否則會發生血濺沙灘的場面。

往海邊可以走房子和房子之間的台階，也可以順著小馬路下去，到了海邊，沙灘雖然不大，卻因為兩旁都是岩岸而顯得很珍貴。哎，這是義大利，依然三步一家餐廳，穿著比基尼泳裝的美女坐在餐廳內吃大餐，外面則是晒得像木炭的孩子叫喊的跑來跑去，非常後現代。

才離開海灘往上走，路邊的

露天咖啡座又有穿著名牌服飾的帥哥坐著喝咖啡看雜誌，一個年輕人騎著摩托車呼嘯而過，賣蔬果的胖老闆追到路上大罵，而樓上一對男女裸著上半身打開百葉窗探頭出來，我剛買的冰淇淋球卻一分心的落到地面。這是午後的波西塔諾。

回到旅館坐在露台上，我想這麼多的作家和音樂家都到波西塔諾來尋找靈感，我應該也試試，於是邊晒太陽邊找靈感，暫時不管趙薇在房內摔盆子摔箱子。突然靈光一閃，對了，晚飯吃什麼？

來到海濱，別人都游泳晒屁股，只有我想吃的，實在很不得體，不過沒辦法，人生的目的都不同，不是嘛。

第一家是我從旅遊書上找到的，離旅館不遠，它也經營旅館，坐落在馬路旁，門口擺了兩張桌子，我故作很休閒的要坐在門口，另一張桌子有位老先生和他的太太，沒想到居然是餐廳的老闆夫妻，義大利餐廳的老闆都不負責做事，負責吃飯，真好。老先生說海鮮好，要我們吃淡菜，果然不錯。第二家則是我自己發現的，在上城，要走一大段的路，叫做Il Grottino Azzurro，門口就是車站，裡面很破舊，看起來像是我們台灣的小麵館，跑堂的中年人很害羞，他老是用斜眼看趙薇，還會臉紅，使我花了很大力氣才把他給抓來點菜。那天吃的全是綜合式，有綜合義大利麵，很特別，有麵疙瘩和麵皮包起司。再

難得一見的才子佳人合照，或者你們會說，這是饞子嚇人？

1 即使海灘很小，波西塔諾依然迷人，主要是整座山城的感覺在其他地方不容易見到。

2 快樂的趙薇和她的早餐，只要有吃的，她的笑容都很可掬。

3 突出在路當中的小教堂。

4 波西塔諾條條巷子通向海。我愛夏天，太陽呀，晒死我吧。

5 一隻懶貓，波西塔諾到處都是貓。

6 海邊的教堂，它的正面沒有托斯卡尼的華麗，卻也很樸實。

來是綜合烤青菜，如茄子、櫛瓜。最後是綜合海鮮，有鯛魚、透抽、小白魚，也都是烤的。

上城入夜後很寧靜，我們為了消化，只得強打精神的散步，跑到餐廳上面的小教堂去，這時我才想起書裡介紹的，整個波西塔諾根本是個貓樂園，到處都是懶洋洋的貓，而且都吃得肥肥的。我留在波西塔諾當貓怎麼樣？

4

波西塔諾的好吃餐廳：

Il Grottino Azzurro，地址是Via Chiesa Nuova，電話：089-875466。由家族經營，負責的也是位老媽媽，過了七點幾乎找不到空位。

Saraceno D' Oro，地址是Via Regina Giovanna 5，電話：089-875400。老爸爸的餐廳，比較貴，不過坐在門口吃會很有情調。

Da Adolfo，地址是Spiaggia di Laurito，電話：089-875022。在海邊，很像我們的啤酒屋，也以海鮮為主，據說店主的祖先是海盜，他們還有船帶客人去無人海灘。

5

波西塔諾的便宜旅館：

Casa Cosenza，地址是Via Genoino 18，電話：089-875063。一顆星，位於半山，是兩百年的老房子，不過只有七個房間。整個阿瑪非海岸的房間都很貴，如果要撿便宜的，可以住在其他小鎮，例如阿特尼：A' Scalinatella，地址是Piazza Umberto 12, Atrani，電話：089-871472，一顆星，還附有很便宜的餐廳，住的都是各國來的年輕人，張國立除外。

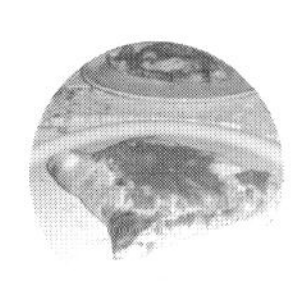

轉原子筆技驚蘇連多

阿瑪非海岸之旅的最後一站是蘇連多，本來也可以從波西塔諾的小碼坐船去，但班次有限，我不願意好不容易才把全身骨頭放鬆還得去趕船，寧可坐巴士，一路搖搖晃晃正好眠。

在蘇連多我找到一家好旅館，一顆星，叫做亞士都（Astoria），位於古城區中心，很簡單可是很乾淨，而他們介紹我旁邊巷子有家不錯的餐廳就值回住宿費用。

餐廳叫Gigino，店面很小，一進門是前菜區，有各式醃的茄子、瓜類、鯷魚，有個中年瘦瘦高高的帥哥帶位，義大利的服務生都很專業，忙著點菜、上菜、送麵包、收拾桌子不說，他們會注意到每個客人的呼喚他們的手勢，很少出現舉了半天手也沒人理會的情形。

這天中午吃的是前菜拼盤、炒蘑菇、海鮮燴飯。我留意到他們也有烤披薩的烤爐，我對趙薇說，一定要再來吃披薩。

付賬時坐在收銀檯後面微禿半個頭的老闆攔著我，用英文單字不但的問我會不會空手道。奇怪，他因為我是東方人就該會空手道嗎？他說我剛才點菜時用右手拇指轉原子

IUSEPPE

1 蘇連多是海港，進口的水果也多，讓我一時錯把水果當甜點。

2 我隔壁的商務旅館，每層樓只有兩間房，互不打擾。

3 多美麗的辣椒，讓我想起趙薇。

4 我旅館旁的餐廳把桌子擺到巷子裡面來，也沒人抗議，可見義大利以食為天。

筆，不會空手道的人怎麼可能會做出如此神乎奇技的動作呢？

我傻在那裡，轉原子筆是我初中不用功，每天上課都無所事事才會無聊到用拇指轉原子筆，何況我也不是最會轉的，一個叫狐狸狗的傢伙能用拇指、食指、無名指和手腕來轉，這和空手道沒個屁關係，但我不想解釋，反正我已經引起全餐廳的人都用仰慕的表情發出『喔』的聲音。

到現在為止我還是想不通，是因為拇指能轉原子筆代表我很靈活？算了，不重要了，重要的是我成為Gigino的常客，晚飯又去吃，誰叫我虛榮，總想到一家會對我很敬畏的餐廳去乾爽。不能忘記披薩，我吃了海鮮披薩，趙薇吃的是半月形裡面包起司的披薩，她的比較好吃，用叉子一畫，白白濃濃黏黏的起司便流出來。

義大利的披薩都好吃，我不是那不勒斯人，不必死命維護傳統的放棄吃別種披薩的機會。老闆和服務生對我很尊敬，可是他們沒給我打折，對空手道高手而言，有欠禮貌。我在蘇連多很快樂，趙薇說我樂昏頭。的確，這是我在伊拉克被誤認為成龍之後，最高興的一次。空手道？我還尿道、地下道、皇后大道咧。

蘇連多是個充滿神話的地方，可能和它的地勢有關，一大塊山崖突出在海面上，如果晚上看到，會以為是怪獸。在古希臘詩人荷馬的史詩《奧狄賽》中，說到特洛伊的大英雄，也就是設計木馬的奧狄修斯在得勝後乘船回家，不幸被天神吹離航道，流浪在海上遇到一堆怪獸，其中最有魚身女人面的海妖（Siren），凡是聽到她們歌聲的人都會變成石頭。奧狄修斯很聰明，他要船員都用蠟把耳朵塞住，才逃過這個災難。

據說海妖失敗後反而變成岩石矗立在海中，見在波西塔諾外海有三塊大礁石便是她們的化身。

西元前六世紀，蘇連多被希臘人稱為Surrentum，意思是海妖的家鄉。羅馬人發現這裡後，覺得風光明媚，把這個半島建成度假中心。

蘇連多城很小，人口也只有兩萬，觀光旺季時每天會擠進二十萬人，是個散步的好地方。到了海邊，因為處於峭壁的高處，可以看低處的海洋。鑽進巷子，既有名牌店也有路邊小店，一切都以塔梭廣場為中心。其實根本不需要地圖，隨便走也很難迷路。

地方小，警察的車子也小，兩個人坐的電動汽車。我和趙薇很晚散步回旅館，被警察臨檢，結果他們讓我們坐上小車子過過癮，義大利人比起其他人要容易快樂也容易交朋友。我們也遇到一場婚禮，每個帥哥都穿深色西裝，看得趙薇眼珠子快掉出來。

這是個讓人忘記煩惱的城市，我以前出國超過一個星期就會想家，從阿瑪非到蘇連多，我的大腦空盪盪的根本什麼也不會想，一生很難有這種感覺，輕鬆哪。

我前前次到蘇連多是從卡布里坐船來，從海面望著懸崖上的蘇連多古老房子很感動。前次則是由那不勒斯坐火車來，一下車便陷入觀光客的人群裡面，一度想打道回府。每個城市都有美的一面

●蘇連多的警車，酷不酷？

1 Gigino的帥哥正在做披薩，是趙薇拍的，他只讓女生拍照。

2 餃子型披薩，雖然不傳統，卻很好吃，在切開後，裡面會流出起司。

3 名菜，叫『跳進嘴裡』，我曾經用這個名字寫了一本小說，它是用小牛肉、火腿和鼠尾草做的。

4 義大利餐廳的進門處都有個前菜區，很豐富。

5 蘇連多安東尼奧廣場旁一家漂亮的餐廳，凡是漂亮的餐廳一定貴，舉世皆然。

5

●一條很古典的小巷子。

也有醜的一面，我總是告訴自己去找找美的地方，然後就充滿驚喜。這點和趙薇相反，她很在意醜的那面，會念個不停。我相信這更是牡羊座和處女座的不同之處吧。

我對旅行一向講求不必太花心思在行程安排上，走到哪裡算哪裡，如此一來不會有壓力。當然，偶爾也有找不到旅館、走到荒郊野外的意外，不過那不重要，我會空手道。

離開蘇連多時很捨不得，我對趙薇說，愛上神話了嗎？她擠擠鼻頭的說：

『我愛神話，不過你要搞清楚，你是笑話。』

情報 INFORMATION

6 蘇連多的一、二星旅館Astoria，地址是Via S.Maria delle Grazie 24，電話：081-8074030。有三十七個房間，中間還有個大露台，很多外國美眉喜歡在這裡晒太陽。

Del Corso，地址是Corso Italia 134，電話：081-8071016。只有十九個房間，在市中心，所以有點吵，不過也因此很熱鬧。

蘇連多以Tasso 廣場為中心，在最大的馬路Corso Italia正中央，離它不遠的聖安東尼奧廣場則是小旅館聚集區，很好找。

7 特別推薦的餐廳，記得點菜時要轉原子筆。da Gigino，地址是Via Degli Archi 15，電話：081-8781927。在聖安東尼奧廣場旁，由Corso Italia大道進去也可以。

to

5

五塊陸地的流浪漢

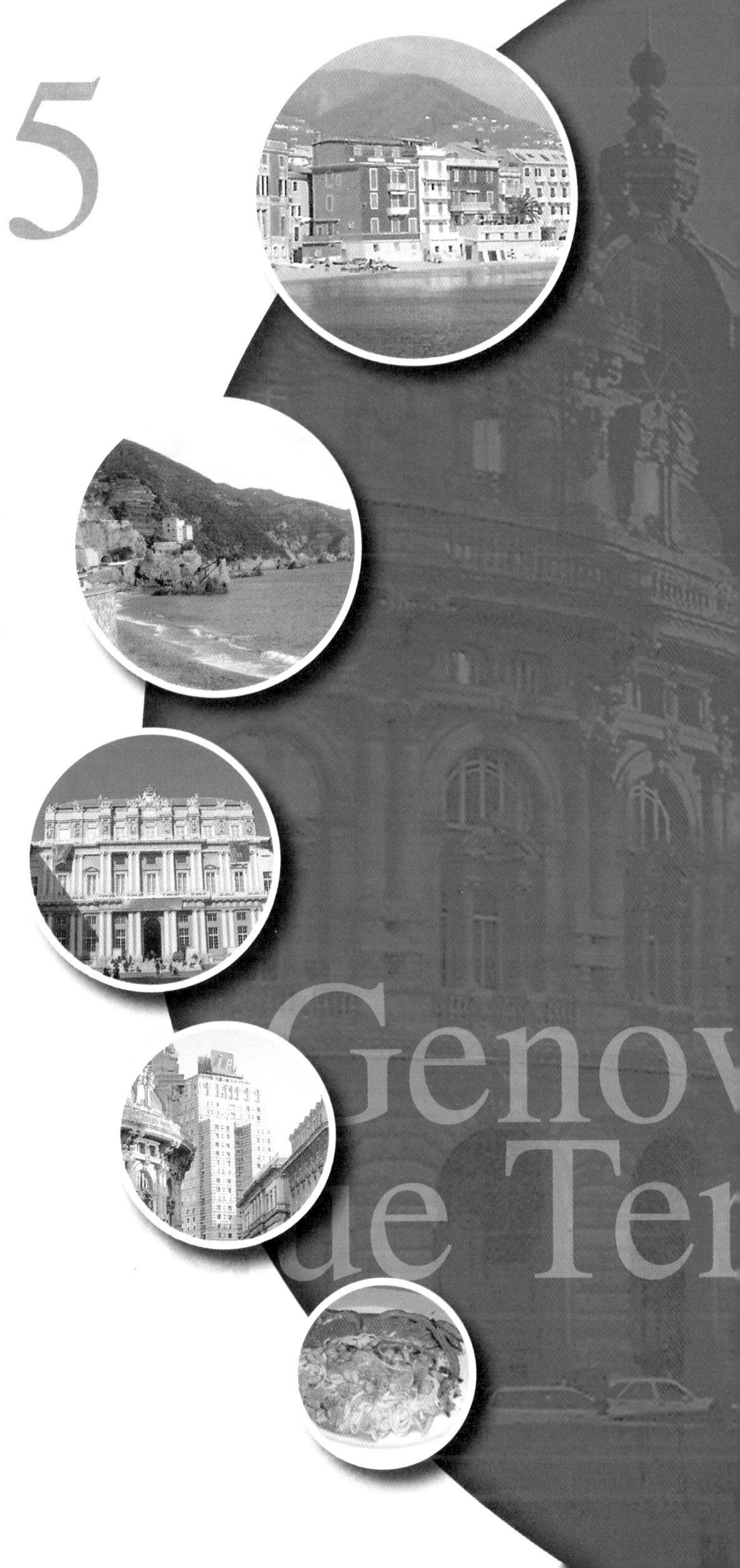

熱那亞的哥倫布、馬可孛羅和聖杯

我有個朋友開玩笑的說，二十歲揹支吉他去旅行，叫做流浪。四十歲再揹支吉他去旅行，就叫流浪漢了。

他說這話是存心看我不順眼，暗指我年紀一大把，也不知道帶老婆坐商務艙、住五星飯店，老在那裡健行住破旅館，假裝年輕啊。

我正思考要怎麼回答，嗯嗯……他又緊接著說，嗯什麼嗯，大便大不出來呀。

喂，我真的在假裝年輕，故意折磨趙薇嗎？我到底是流浪還流浪漢？

先不管這個問題，在佛羅倫斯趙薇問我，下一站是哪裡？我攤開快摸爛的義大利地圖，信手一指，就去這裡。趙薇瞪大兩眼看我，而我也趕緊低頭，我很不巧的指在義大利西邊的亞德里亞海，可是身為大男人豈能因此放棄原則，我發現手指離陸地幸好不很遠，趁趙薇不注意，我移動了一下手指，於是我們得去個叫『五塊陸地』（Cinque Terre）的莫名其妙地方。

怎麼去呢？我看到五塊陸地的上面有個大城市熱那亞，好，先去熱那亞。又開始流浪了，不過沒有吉他，只有趙薇這個茶包（trouble）。

有人看過我和趙薇寫的書，曾大膽的指出，我的旅行沒有夜生活，不夠豐富。他錯了，我們每天都有夜生活，吃完晚飯一定要散步消化，這由我們的菜單就可以看出來，不消化會脹死人。然後散步的目標經常會是火車站，去找電腦的自動售票機，開始敲明天的行程，看要坐哪班車、買什麼票。去熱那亞的前一晚，我們又來到車站，敲壞三台機器，等死排在我們後面的十八個人。

使用售票機要當心，它有四種語言，我都選英文的，打進出發地點、目的地點、時間，付錢，拿票。照理說這應該很簡單很方便，哈，你們看過票上面的義大利文地點嗎？我翻遍地圖也搞不清。好吧，我說我們的行程：

早上要先從佛羅倫斯去比薩換車，但車子是去Livorno的，我們得在CLE下車。我的哲學是上車再說，於是我坐了整整一個小時，要不是趙薇機靈，我可能坐到莫三鼻克去了。她叫我下車，我從睡夢中驚醒，以迅雷不及掩耳的速度把行李往下扔，再用凌波微步把自己也扔下去，才沒有去莫三鼻克。原來比薩附近有個大轉車中心叫做CLE，我們提著行李再找下一個月台去帕耶洛（又是個碗糕？），其中會經過熱那亞。

上午十點二十五分出發，下午二點十六分抵達熱那亞，我才知道兩件事：

一、我應該於一個鐘頭前在史佩西亞（La Spezia）下車，五塊陸地便在旁邊。

二、熱那亞有兩個車站，我下錯站了，因而我找不到遊客服務中心，換句話說，沒人會幫我介紹乃至於訂旅館。而且我沒有姑媽在熱那亞，甚至我這輩子從沒想過要來熱那亞。

GE
NOVA
1
2
4
3

1 生牛肉片，也在熱那亞吃到的，比鮪魚要更好吃。
2 再來一道龍蝦麵，也是我吃過最豪華的麵。
3 熱那亞貴死人餐廳的墨魚飯，很豪華，也很好吃，也太貴。
4 過去的總督府，現在是展覽會所。
5 聖羅倫佐大教堂採比薩式的設計，正面由大理石構成圖形。
6 聖羅倫佐教堂，我沒看到聖杯，可是我有祈求能吃到便宜的熱那亞菜。

這時我和趙薇兩人揹著行李和鍋碗瓢盆走在熱那亞街頭，她問我，你到底知不知道熱那亞是什麼碗糕？我說當然知道，熱呀。

即使街頭景觀也和托斯卡尼完全不同，大部份的男人都穿西裝，女人也穿著高跟鞋行色匆匆，原來這是個商業城市呀。既然來了，我的個性隨遇而安，況且依照經驗，熱那亞也一定有能吸引我的地方。但一切還是得先找找旅館。

當找不到旅館時，我的方法是去書店買本當地的旅遊書來看，上面一定有。我在著名的聖羅倫佐大街上到處對人說：『先生，我三天沒吃飯了。』我是說：『先生，哪裡有書店。』

在書店內，每個人都用嫌惡的表情看我，因為背上的大背包擠到他們，因為我手裡的冰淇淋是書店的違禁品，因為每個人都懷疑我可能會對他們說：『先生，我三天沒吃飯了。』

果然找到書，還是義大利文的，趙薇翻到上面介紹旅館的那頁，很得意的要去櫃台結賬，我神武英明，不能只為了旅館的電話號碼就買一本書，還是義大利文的。

抄下來，我說。你們可以想像在一堆書當中，先看到趙薇買的義大利銅鍋，再看到一個快發霉的大背包，接著聞到背包的味道，低頭一瞧，怎麼有兩個人在地上寫字哩，寫什麼東東呀，哈，寫的全是旅館電話和地址，他們想搶旅館？

折騰兩個小時，我們終於找到旅館，而且每次費的力氣愈大，找到的旅館愈有意思。在熱那亞我們住的那家居然有古老的電梯，進去後要先拉上外層的鐵門，再關上內層的木門，聽著電梯熱情的顫抖三分鐘，當我們幾乎嚇得想下去時，它才轟的開始上升。這時起，我愛上熱那亞。尤其我在書上看到哥倫布竟是熱那亞人，我知道來對地方了。

大學時我為自己起的英文名字是Chris，發音為『克你死』，就是因為嚮往哥倫布的冒險生活。他的英文名字是克里斯多．哥倫布（Christopher Colombus），克里斯多的簡稱正是chris（克莉絲汀的簡稱也是chris）。如今克里斯找到克里斯的家鄉來了。

旅館位於熱鬧的九月大街，看一個陌生的城市最好的方法是健行。第一個目標是大教堂與聖羅倫佐博物館，為的是另一個神蹟，『聖戰奇兵』電影裡的聖杯。

最早是說耶穌在最後晚餐所使用的杯子流落到了熱那亞，當地人很珍惜的將杯子獻給教會，於是收藏在聖羅倫佐博物館，不過近年的研究，發現杯子可能是九世紀由阿拉伯所做的，如此一來，和耶穌扯不上關係。科學歸科學，信仰歸信仰，很多信徒仍堅持這就是聖杯。

博物館還藏有一世紀聖徒聖約翰的骨灰，我不認得聖約翰，可是依稀記得新約聖經裡好像有這個名字，他的骨灰當然很不得了，每年六月二十四日，教堂會恭迎出骨灰參加宗教的遊行，也是熱那亞重要的活動。

天主教的神蹟與其說是歷史，不如說是傳說，凡是傳說必然有豐富的故事內容，例如喝了聖杯裝的水之後，人的疾病會消失，甚至長生不老，我不想活到一百歲，不過能治療我長年的皮膚病倒是好的。我在教堂內很虔誠的祈禱，其實我出外旅行幾乎逢廟必拜、逢教堂必點蠟燭，趙薇問我求什麼，我求的只是旅途順利平安。沒人相信對不對，好吧，我求回到台灣樂透能中大獎，這樣你們滿意了吧。

附近有個但丁廣場，原是羊毛的集散地，其中有個老工人，在這裡辛勤的工作了一生，生出個兒子後來發現新大陸，老小子的名字叫做：多明尼克．哥倫布。

由大教堂往附近小巷子鑽，我進入了熱那亞的老市區，到處都是只能走自行車的小路，熙來攘往，一路走下去，最後的出口是海邊，看到十四世紀強盛無比的熱那亞共和國港口，雖然沒有成群的戰艦，可是商船卻多，海邊還有一艘仿古的帆船。

當熱那亞和威尼斯爭奪地中海霸權時，馬可孛羅被俘，他就在港邊如今聖喬叟宮接受審訊，這裡原是市政中心兼看守所，後來改成海關，現在是港灣局。馬可孛羅也是在這裡把他東遊的故事告訴同室的受刑人，寫成了《馬可孛羅遊記》。

兩個我最景仰的人，哥倫布和馬可孛羅居然都在熱那亞，冥冥中真的有神蹟，把我的手指指向地圖上的海。

和那不勒斯一樣的嘈雜，熱那亞卻帶有點貴族的氣質，到我吃晚飯時更深受這個氣質的殘害。那家餐廳是我吃過最高級的，號稱專做熱那亞菜，但什麼是熱那亞菜呢？廚師還到我們桌旁來調沙拉醬、做甜點。反正我失血嚴重，接下來幾天只能吃麵包夾火

1 法拉利廣場的一角，古典與現代雜陳，這是熱那亞的特色。

2 港口內仿古的船，讓人懷念哥倫布。

3 這是旅館的十九世紀電梯，裡面站的是本旅館的惡鬼，不，餓鬼。

腿了。人有時和某些莫名其妙的事有緣，我莫名其妙的在熱那亞吃了這家餐廳，儘管好吃，仍痛不欲生，沒想到後來到香港，在銅鑼灣又吃了一次，而且是直到吃完看到賬單，數字很熟悉才想起來，他媽的，我不是來過嗎，原來他們在香港有分店。

在熱那亞待的時間太短，很遺憾，不過離開時我曾對聖羅倫佐許願，我會回來。正抱著虔誠的心情面對但丁廣場，突然有人敲我腦袋，一個女人的聲音在身旁響起：到底要去哪裡，每次都沒計畫，你自己去買票。

情報 INFORMATION

1 我吃的餐廳Il Zeffirino。地址：Via XX Settembre 20，電話：010-591990，網址：www.ristorentezeffirino.com。香港的地址是銅鑼灣Yee Wo Street 88。

2 我住的熱那亞旅館Albergo Soana。地址：Via Settembre 23-8，電話：010-562814，一個晚上六十八歐元。

3 在熱那亞有條大街不能不去，叫Strade Nuove，意思是新街，在十六、十七世紀時，有錢人都在這裡蓋豪宅，因而路兩旁全是像王宮似的四、五層高，帶著殖民時代色彩的房子，不去看很可惜。

『兩個海』，一個寓言一個寧靜

熱那亞位在濱海省（應該叫利古里亞省，Liguria）的中央，這個省沿著海灣，細細長長，西邊連結法國的尼斯，東邊連結托斯卡尼，被譽為南歐最值錢的一段海岸。我沒往西去，因為我始終以為有一天我應該由法國的方向一路玩到義大利，重臨熱那亞，所以往東，而書上的一個地方深深吸引我：兩個海。位於去五塊陸地的火車途中，站名是Sestri Levante。

到了火車站往海的方向走，沿路都是漂亮的小樓房，有點像法國，直走沒多久，到了海邊的堤防大道向左轉，沒多久看到一個教堂，我知道，到古城了。不過這裡的古城很小。在教堂前我看見空中飛來好幾架漆成紅、黃顏色的水上飛機，正在詫異，回頭看，對面的山上竟然有火災。

我和趙薇便坐在海邊看著義大利的空中消防隊救火，順便拿出路上買的麵包夾火腿開始野餐。

這個小鎮有個半島凸進海裡，形成兩個海灣，北邊的較大，稱為『寓言海』，南邊的小，稱為『寧靜海』。有時候義大利人很浪漫，否則怎麼想得出這種名字。半島很細

●寧靜海前一個很不寧靜的傢伙，他來到這個地方簡直高興死了，雖然他看起來像快餓死了。

●原來是光禿禿的山上也能失火，消防機扔下水，好像不太準。

●在Sestri Levante看到掠著海面飛過去的消防機，哪裡失火了？

長，有些房子建在中間，從空中看有如一排房子伸進海裡面。

寧靜海是主要的休閒地區，由於港灣小，大部份被陸地包住，海浪也小，遊艇和游泳的人都集中在這裡，而海灘的一頭則是座小小卻老老的教堂。那時是十月，遊客很少，但太陽依然溫暖，也有人躺著晒屁股，我則繼續吃第二頓的野餐，這次是從熱那亞帶來的甜點。

周圍一點聲音也沒有，靜靜的躺在沙灘上，看著眼前蔚藍沒有波浪的海，真是舒服，比起阿瑪非是完全不同的感受。

由熱那亞往東，海岸上有許多特別的小鎮，另外還有一個遊艇最愛去的小港叫芬諾港（Penisola di Portofino），房子也集中在海邊。聽說山頂的聖喬治教堂供奉屠龍英雄聖喬治的遺物。

去芬諾港要在拉帕洛（Rapallo）換巴士，而拉帕洛也很棒，英國小說家勞倫斯（查泰萊夫人的情人作者）和詩人龐德（Ezra Pound）生前常來這裡。

熱那亞往東的海岸都是岩岸，往西去法國的方向則較多沙灘，我到了『兩個海』體會優閒和懶散的真正滋味，我愛熱那亞，更愛這條海岸。阿瑪非像豐腴的少婦，這裡則像嬌羞的村姑。要不是我的假期有限，可能會在『兩個海』住一晚，晚上一定更美。回車站的路上遇到兩個英國來的女遊客，她們對『兩個海』贊不絕口，還告訴我哪家餐廳

●到達『兩個海』，這是小的那個叫寧靜海，很寧靜，也很漂亮，可惜海灘上少了點女生。

好吃，哪家旅館便宜又乾淨。我對趙薇說，出了社會之後我們雖然有新的收穫，卻也失去許多，尤其失去了暑假。我渴望有兩個月的暑假，然後我會花一半的時間尋找，尋找像『兩個海』的地方，另一半的時間則住下來，把骨頭打散，把筋給抽光，我不想振作，不想圖強，只想吃吃睡睡。

趙薇突然叫，你怎麼把我的麵包也吃掉了。對，要振作，要不然趕不上火車。

火車沒跑，我們順利的趕上，卻坐錯方向，只好在下一站下來，去對面月台再等。沒辦法，我的靈魂留在『兩個海』，再說這條路線的鐵路幾乎全藏在隧道裡，誰弄得清方向呀。

世界遺產的五塊陸地

去五塊陸地最好是從史佩西亞坐車，我走了相反的方向，對於一個流浪漢而言，沒什麼大不了的。這是五個海岸邊的山中小城，長期以來與世隔絕，有點桃花源，到現在為止，公路也只到其中兩個鎮，因為沒有停車的空間，除了當地人，幾乎沒人會開去。所有對外交通都依賴鐵路，當然，走路也可以，全程五十二公里，年輕時我參加過五十公里長跑，聽到才五十二公里，我的勇氣又湧到胸口，不過趙薇說那不是勇氣，是想欺騙自己，她說：你幾歲啦？

沒有人知道五塊陸地是從什麼時候開始發展的，按照地理狀況來看，應該是某些漁民打魚時看到海岸上有幾個小港灣，便慢慢移居至此。最早的名稱是五個城堡，可能和土耳其的海盜入侵有關，當地人聚集在一起自保，後來改稱五塊陸地，則可能因為在曲折的海岸線上，突然看到幾處匯集著色彩鮮艷房子的陸地吧。義大利政府把這個區域劃為國家公園，一九八二年被聯合國列為世界遺產。

由北往南，我們先抵達海邊紅峰鎮（Monterosso al Mare），用我的半英文半義文方式來翻譯，Monte是山，rosso是紅色，Mare則是海。

一路上火車都不時的鑽進隧道，等到車停下，才猛的看見山與山之間，竟能看到一

1

3 2

1 Monterosso al Mare是我們抵達的第一塊陸地，也是最大的一塊，海邊有散步道，能一直走到最後一塊陸地，我寧可當雞也不想用走的。

2 黃昏時Vernazza港口邊的教堂鐘樓，它要敲吃飯鐘了，走，找餐廳去。

3 這晚在Vernazza住的民宿，你們不知道走到門口時我幾乎熱淚盈眶，有地方住是多麼快樂的事呀。

4 清晨的Vernazza，沒錯，這個城就這麼大，港口邊是廣場，斑駁的房子很滄桑，我一定會再來，好好睡個幾天——不，住個幾天。

5 晚餐的五種前菜，小碟小碟的很不過癮，要是大碟大碟的，我現在可能還在台大操場跑五千公尺。喂，跑步減肥到底有沒有用啊？

6 吃飯囉，只要有吃的，我們的表情就會很自然也很可愛，可能天生注定我們得吃遍天下也順便吃光辛苦賺來的新台幣。

7 呵呵，呵呵呵，呵呵呵呵，下面鋪的是馬鈴薯，中間是番茄和小白魚，至於滋味，呵呵，呵呵呵。

片海。

海邊紅峰鎮由鐵道分成新舊城，舊城在山上，新城在海邊，也是五塊陸地中，海灘最大的一塊。義大利著名詩人尤吉尼奧在這裡寫下許多詩，他是一九七五年諾貝爾文學獎的得主。

人懶了以後很難恢復，我拉著趙薇坐在海邊吃冰淇淋，甚至連去找旅館的力氣也沒。趙薇問我晚上睡哪裡，我說不急，天黑時到了哪塊陸地就住哪。下午四點多，我在殘存的靈魂裡搜尋剛才一度試圖振作的細胞，勉強找到，我指著海岸說，下一個鎮好像不遠嘛，我們走去吧。

嫁給我的女人很倒楣，我反省過，我太隨興、太不自量力也太沒有人生目標了。

趙薇這次很同意，她說這條海岸太美了，一個海岬連著一個，每個海岬中間便是一塊陸地，不用走的，還體會不出它的美。

趙薇很少這麼爽快的同意我的主張，我們走上據說有上千年歷史的古老步道，它的名字是Sentiero Azzurro，沿著海岸，四周全是梯田的葡萄園。不幸的，走步道每人要三歐元，而且我才通過收費的小亭子，他們就下班了，要是我再晚個兩分鐘，我能省下門票費，但我沒去思考他們為什麼要下班呢？

走了大約二十分鐘，前面來了三個老美，他們渾身大汗笑嘻嘻的對我說，加油呀，快到了。我再往前走，來了對英國老夫婦，女人是這個星球唯一有良心的動物，老太太對我說，別走了，還要三個鐘頭，天要黑了。我才警覺到，收費站的人不是下班了嗎，顯然不會再有人走。我當機立斷說，回頭。在這個陌生的山裡要是天黑還走不到下個小鎮，豈不可怕。

回程中我又遇到那些老美，他們一直譏笑我是肯德雞（chicken），我這個人一向不在乎面子，我沒好氣的說，老子不是雞，是薑母鴨。

換火車去下一站，這趟健行之旅浪費不少時間，加上等車，到了下塊陸地溫那札（Vernazza），天已經黑了，最有趣的是這個鎮更小，火車根本停在隧道裡，得走上一段路才到出口，也才見得到天日。

得回到現實找旅館了，鎮上似乎沒有旅館，書上說這裡的人口只有一千人，許多遊客像我們一樣的到處打聽哪裡有住的地方。我問一位當地剛買菜回來的老太太，她很好心，帶我到碼頭邊，她朝一棟樓上大聲說話，只聽到百葉窗內有人回答，沒房間了。她好人做到底，再帶我到另一棟樓，爬了三層，一位老先生正在吃晚飯，他也說沒房間。

在這個地方別想找旅館，要找房間（cameri）。老太太又跑去一家餐廳問，老闆卻說要嘛就住三天，否則不租。死老義。老太太很抱歉的告訴我們，她也沒辦法了，再說，她晃晃手中的菜，她如果再不回家，可能會有人餓死。我才餓死了。

趙薇很聰明，她去問一家雜貨店，沒想到老闆一口答應，他打電話回家，不多久，他美麗的太太來接我們去。在一條彎彎曲曲的狹窄台階路裡，房東娘領我們到一戶人家，這是我們住宿的地方，當地的外移人口很多，留下不少空房子，這間便是空屋，裡面有三間房和一個飯廳兼客廳，一間房堆雜物，另一間已租給一對英國女生，我們運氣好，搶下最後一間。

我正慶幸自己祖宗積德，並且對仍在小港口找房間的其他旅客表示關心、同情和幸災樂禍，趙薇說去吃飯了，然後我們走回港口，進了一家餐廳，才知道所有遊客都有了房間，也全跑來吃飯。

也許路走太多，晚餐吃起特別香，先是餐廳招牌的五種前菜，各裝在一個小碟子裡，配著麵包很好吃。接著是義式餃子、

1 再看看他們的漁港，都是小船，很難想像他們在這裡住了幾百年的桃花源生活。

2 五塊陸地的Riomaggiore，從北來算，這是最後一個鎮，面對海有個小灣，漁民用的都是小舢舨，卻也捕得了我晚餐要吃的大魚。

朝鮮薊，還有一道小白魚、番茄和馬鈴薯做的菜，番茄是冷的，下面的馬鈴薯與小白魚混在一起卻是熱的。老闆說這是他們小鎮的名菜。在海邊吃簡單的家常菜真是舒服。

我們隔壁坐一對穿著很整齊的美國中年夫婦，看我和趙薇衣衫不整，吃相更不雅，我一再解釋，我們坐錯了車、走錯了路、差點找不到住的地方，而且從熱那亞買的麵包中午都被趙薇吃光了。他們一直笑，我們一直吃，倒也相安無事。

晚上在小鎮上走走很浪漫，我擔心半夜會肚子餓，又去房東雜貨店買了不少糧食。回到家，一天的疲勞剎那間全消失，因為一個只穿內衣褲的英國美眉正從浴室走出來，另一個只穿內褲的美眉則坐在飯廳看書。

喔，我目不斜視，心無雜念，我一直念，南無觀世音菩薩，希望趙薇不會在進房後要我自行挖出我的兩隻賊眼。

第二天再坐火車往下面的三塊陸地：康尼利亞（Corniglia）、曼納羅（Mnarola）和大溪（Riomaggiore）。每個小鎮都依著山建出許多塗著鮮艷色彩的房子，我問當地人，為什麼把房子漆得這麼五彩繽紛呢？一個老人回答說，漁民都靠小舢舨去捕魚，沒有導航設備，只有靠房子的形狀來判斷自己住的陸地是哪一塊，後來大家都漆成彩色的，也分不出來了。

在最後一塊陸地，大溪，趙薇到處打聽有沒有房子出租，她想以後有機會要來住一陣子。我也想。不過她說，你不用想，你去上班。有首歌說，愛情有時是對的，卻有時也會錯。我去上班。

沿海鐵路的終點站是大城史佩西亞，其實我還再往下走，因為濱海省盡頭有個叫雷里奇（Lerici）的鎮，英國大詩人雪萊的晚年便這此度過，一八二二年他坐船去比薩稍南的大港利芙諾和朋友見面，沒想到出了船難，在史佩西亞南邊的維亞雷吉歐外海淹死。

大詩人死時應該不會對人生太遺憾吧，畢竟他曾在五塊陸地住了這麼多年，人生還有什麼可苛求的呢？

正好遇到一對新人，他們在雨中拍婚紗照，趙薇很擔心新娘禮服裙襬，我則擔心新郎的頭髮。

情報 INFORMATION

4 去五塊陸地最好以史佩西亞為基地，五塊陸地的旅遊服務處便設在這裡，網址是：www.aptcinqueterre.sp.it，電話是：018-7254311。

5 在史佩西亞火車站有去五塊陸地的時刻表和健行路線圖，一定要拿，到了五塊陸地也有船可以去每個小鎮，從海上看的景色會更棒。

6 想要在五塊陸地先找到住的地方，可以試試大溪的這家仲介公司：地址是Edi Via Colombo 111 Riomaggiore，電話0187-920325　網址www.wel.it/vesignaedi，他們出租房間和公寓。

s to

6 童話一般的土盧鎮

火車上觀摩老義釣馬子的招數

大概見過愛爾巴羅巴羅（Alberobello）照片的人，都會迷上這個地方，可是不太有人會真的去那裡，因為它在義大利，而且是義大利的東南部；而用著鼻孔對你說話的羅馬人、托斯卡尼人、米蘭人，都會先哼兩聲的告訴你，喔，那不勒斯以南不是義大利。

這個說法來源很久，因為北義是工業區，全國的稅收靠他們。中義是古蹟區，百分之八十的古堡、古城都在這裡，觀光客也集中在這裡。至於南義，哎，窮哪，於是有了義大利只到那不勒斯的說法。

事實上也的確如此，就觀光客而言，義大利有冬天滑雪的勝地，在北部的阿爾卑斯山腳下；有迷人的山區和葡萄酒，在中北部的托斯卡尼；有充滿驚奇的古山城，在中部的溫布利亞。當然，還有羅馬、威尼斯、佛羅倫斯、比薩，和讓你吃個過癮的披薩城那不勒斯；但那不勒斯以南有什麼呢？

你仔細翻翻旅遊書，如果全書有兩百頁，南義恐怕不到十頁，連西西里的頁數都比較多。

南義有的就是貧窮、落後和炎熱了，至於東部，你想，既然義大利已經有那麼多精采的地方，你有必要坐十幾個小時的火車，去一個很偏僻的小鎮嗎？

到愛爾巴羅巴羅要從拿坡里先坐火車到卡塞塔（從羅馬去也要經過這裡），換火車再一路往東，因為旅途很長，從中央穿過義大利半島，我忍痛花錢坐歐洲之星快車，歐洲之星是最高級的火車，車上坐的大部份是西裝革履的生意人，他們搶時間，我這個小氣鬼卻寧可用時間來換錢。這趟行程的目的地是東南部第一大港巴利。

我是突發奇想才去愛爾巴羅巴羅的（這個地名實在很拗口，就稱它為土爐鎮，因為它以土爐著稱）。那天在拿坡里吃披薩，看到牆上掛著灰色圓形屋頂房子的海報，當場就驚為天人；而披薩店的師傅正好是那裡人，他提到土爐鎮，眼神飄得很遠，口氣也變得緩慢而且深沈，他是這麼說的：

『那是個蒐集陽光和雨水的地方。』

老天，多麼富有詩意，他用『蒐集』來做陽光和雨水的動詞耶。

義大利這隻名牌靴子正好插在地中海中央，左邊是地雷諾海，右邊是亞德里亞海，宮崎駿的卡通『紅豬』，那隻駕著水上飛機的豬，就是以亞德里亞海為出沒地。我喜歡『紅豬』，就更加強去土爐鎮的決心了。

從拿坡里先坐火車到卡塞塔（當然是慢車），那是義大利中部重要的火車轉運站，換乘歐洲之星（Eurostar），就一路往東走。這班車在抵達東南部第一大港巴利（Bari），還要去靴子後跟第一大城雷契（Lecce）。

一整個下午搖晃著昏昏欲睡的腦袋，橫越過半島的腰部。坐在對面的是個一度被我誤以為是老美的七呎大漢，恐怕也有一百五十公斤，他花了大約十分鐘才把整個身子擠進座位去，和我面面相覷。我沒有對他笑，因為即使他已入座，鼻子仍越界的快伸到我眼睛前來，因此我不睡覺也不行，總不能去數他臉上的痣。幸好他旁邊沒人坐，否則會被擠出油來。

火車才開動，他又好像渾身上下都是跳蚤，動個不停，直到中途上來一個美女坐在他旁邊，跳蚤才安靜下來。那個美女身材修長，要不是趙薇坐在我旁邊，我應該會打起精神的看書裝酷。說不定她會問我：

『帥哥，要去餐廳車喝咖啡嗎？』

我繼續展開第三次的昏睡，不小心醒來時，大漢和美女一個看書一個看窗外，而大漢的腳已經捅到我椅子底下來了。第四次昏睡醒來，兩人正在就拿坡里的餐廳聊天，大漢幾乎把他的書要扔到窗外去，談得眉飛色舞。第五次昏睡醒來，老天，我驚出一身大汗，怎麼回事，大漢已經握住美女的小手，口沫橫飛地談論感情和事業線了。

坐火車釣馬子，多好的休閒活動啊。

黃昏時才抵達巴利，我急著換另一班車，那不勒斯火車站的人告訴我，抵達巴利要到後車站換另一班火車，因為到小地方的路線是由民營公司經營的，必須要離開國鐵的車站再進另一個車站，也才能去土盧鎮，可是後車站在哪裡呢？當我在車站裡四處奔波，慌張地怕錯過班車時，我看到大漢坐上車站前的一輛計程車，一個人。想從手相上找到未來感情方向的美女呢？一個長得很帥的男人正摟著她的肩膀走進另一個出口。火車戀情隨著到站而結束，幸好美女沒請我喝咖啡，否則按照我的個性，我可能會戀愛再失戀。

我對趙薇說，多麼戲劇化的戀情呀。她問我，如果一個人旅行，我會不會也幫別的女人看手相？不會，我說，我不懂算命或手相，而且我也不會去喝咖啡。趙薇好奇的問：喝什麼咖啡？

我們走進地下道，就這樣在地下道的盡頭處找到往土盧鎮小火車的月台。

●土盧大街是不是很童話？

義大利的民營火車幾乎都經營地區性的路線，顯然賺不到什麼錢。我坐上只有一節的陳舊柴油車廂，看著天色轉暗，繼續努力的晃幾乎快掉到大腿上的腦袋。

可能因為我們是車上唯一的外國人，一個小時之後，車長好心提醒我，土盧到了。我提著行李站在空盪盪、只有一盞時滅時閃的路燈下，既沒有巴士，也沒有計程車；更糟的是，火車站收工打烊了，僅有的三名的職員各自坐上飛雅特，連我要不要搭便車也沒問，就灑下一屁股黑煙走了。

趙薇坐在台階上問我：剛才你說喝什麼咖啡？我說別怕黑，馬上打電話叫旅館的車來接我們，然後我們不會冷死在車站門口，不會餓死在這個鳥不生蛋的鬼地方，然後會在旅館溫暖的餐廳內喝咖啡。我趕緊摸黑按照手上的資料，打電話訂了旅館，二十分鐘，旅館的車子把我們從飢寒交迫中救回人世。

夜晚的小鎮一片漆黑，我躲在旅館裡，後悔自己幹嘛一時衝動跑來這個小鎮。不過第二天一早，當霧氣散開，陽光敲在我的眼皮上，土盧卻讓我感受到一個全新的世界；但老實說，雖然很美，卻很不義大利。

土爐竟是個逃稅的好地方

土爐鎮之所以出名，就是因為稱為Trulli（土爐）的房子。這種房子是用當地灰色的石塊做成屋頂，圓圓的一棟一棟，讓我想起蛋糕。全鎮有兩個地區蓋滿了土爐，遠遠望去蔚為奇景。可是，為什麼要把屋頂蓋成這種樣子呢？

我走在順著山勢建成的街道上，一位胖胖的女人笑著向我打招呼，問我是不是日本人，我說是台灣人，她想了幾秒鐘，若有所悟地說，她去過上海和北京。哎，接下來我可能要花很大力氣才能告訴她台灣在哪裡，我們的政府真該印許多有趣的小冊子給我們這種很懶的人出去介紹台灣。

她叫瑪利亞，在這條街上擁有五棟土爐，其中一棟賣工藝品，大部份是她自己做的手織飾物，像桌巾、浴巾等等，從二十五歲到五十五歲，她從未停過，使她賺下五棟房子，如今不僅是土爐鎮的富豪之一，也是代表性的人物。

她領著我進入土爐內，屋子裡很簡單，既然是圓形的，所以就那麼一間圓形的起居室，上面有個閣樓，也可以住人。因為現在環境好了，許多人家就把好幾間土爐打通，就這樣，臥室是圓的、廚房是圓的、餐廳是圓的，到了屋頂上面，晒衣場也是圓的。

就房子的設計而言，圓形最浪費空間，也最不易陳設家具，可是也最可愛。

瑪利亞告訴我，屋頂之所以蓋成圓的，是因為過去這個地區很缺水，於是就有人想出這個主意，讓雨水順著屋頂流下，到屋腳的井裡，這種儲水方式也不容易被太陽蒸發掉。我才發現，這是全世界最特別的井，它的水不是來自地下，而是天上。

根據歷史上說，十六世紀時才出現土廬，是當地原住民的聚落，由於民風強悍，也非常團結，自成一個社區後集體和領主抗衡，後來甚至得到教皇的同意而免付稅。傳說則說，當時義大利半島上仍是貴族割據的分裂局面，每個領主都對人民抽取重稅，且是按屋徵稅，土廬的人就把房子蓋得不像房子，當稅官來的時候可以辯稱這不是房子。

多聰明的人呀，他們怎麼會想得出這種點子，顯然我們台灣人要組團來取經才對。

有關土廬的建築，屋頂都不用水泥，而是石板一塊塊砌上，卻密不透風，不會漏水。有些學者認為這種集水的房子設計應該始於中東地區，經由希臘傳到東義大利來

1 走近一看，多可愛的房子呀。連路都是石塊拼出來的。

2 這是餐廳，由好幾個土廬合組而成，應該是近幾年才改建的。

3 瑪利亞、她的女兒和她們誤以為是日本美眉趙薇。

4 瑪利亞的女兒得意的展示她媽媽手繡的桌巾。據『趙薇』說每個外國觀光客都會來至少買一條。所以我們家現在也保有一條。

お気軽に
お立ち寄りください
LA BOTTEGA
DEI
FISCHIETTI
E DELLA
TESSITURA ARTISTICA
MATARRESE di MC CAPORASO
3
4

的，這也是為什麼許多人家會在圓形的屋頂上用白漆畫上代表家族諸如魚、鳥之類的奇怪符號，意味他們並未忘記遠方的祖先。

小鎮人口才一萬多，非常安靜，那天正好是周日，幾乎所有的人都到教堂去，做完禮拜也三五成群地喝咖啡聊天，真是個悠閒的午後。

我坐在公園旁『蒐集』陽光，順便也由趙薇請我喝杯咖啡，看著當地的老人在廣場上或站或坐，似乎這是他們社交的日子，有的人還熱情的擁抱同伴，小鎮上濃厚的人情味和可能甚至是親戚味顯露無遺。我和趙薇受到他們的影響，也變得很懶，偶爾在夏天的尾巴晒晒太陽是非常舒服的事。不過喝咖啡不能阻止飢餓，但到了這種地方必須花點力氣找吃的，才不虛此行。

我們一條巷子接一條巷子的逛，發現他們的生活果真和土爐牢牢的結合在一起，而並非把土爐僅當成觀光點，像日本白川的合掌屋一樣，居民就住在充滿歷史、風土的古老房子裡生活。土爐鎮的集會中心是教堂，一處是一般的教堂，我喝咖啡的小廣場上面，另一個就是由土爐改建的，要不是上面有十字架，我可能會以為是其他宗教的教堂。我好奇的問人，有沒有洗衣店蓋在土爐裡？有沒有麥當勞開在土爐裡？後來被我問的人覺得很煩，把我帶去一家土爐內的餐廳，哈，坐在圓圓的室內吃飯，看著菜從隔壁的圓房子送來，讓我進入童話世界。

只打算在土廬待一天，傍晚時我離開向火車站進發。拖著行李和趙薇，她居然不想離開。順著指標很快就走到車站，小鎮的好處就在隨便走走，不管什麼重要的地方都會走到。糟糕，我太大意了，民營火車星期天竟然休息，小小的可愛車站大門深鎖。沒了火車，我難道留在土廬流浪，這時來了兩個日本自助旅行美眉，她們根本不在意車站打烊，自顧自的坐在站前的路邊，我好奇的上去問，才知道火車站前是巴士站，五分鐘後便有開往巴利的巴士來。

旅行需要吃苦耐勞、需要省錢勒肚皮，更需要一點小小的運氣。

情報 INFORMATION

1 去土廬的情報：土廬當地的旅客服務中心是在人民廣場，Piazza del Popolo，電話：080-4325171。當地網址：www.alberobellonline.it

這口是井，雨水會集中到下面的水池。

by trains

7 別忘了在月台上打票，坐火車行遍義大利

在義大利坐火車是既方便又快樂的事，因為票價不貴，除了大旺季外，大部分都很空，所以坐得舒服；更有趣的是，二等車廂比一等空，抱定用時間換取金錢的堅定意志，一切都會比吃瀉藥還舒暢。

義大利的火車分成幾種，最高級的是歐洲之星（EuroStar），連絡歐陸各大城市，也通往義大利的主要城市。城市特快車（Intercity），也很快，在半島上大部分都使用這種車子。快車（Espresso），別誤會成咖啡啦，其實Espresso的原意就是快車，後來咖啡機器誕生，煮起咖啡來也很快，也快車了。

還有兩種慢車，直達車（Diretto），雖然名為直達，可是停很多站。通勤車（Locale），原意指的是地方上的連絡車，因而每站皆停，和台灣、日本的通勤列車差不多。

除非你想從義大利到其他國家去，或是由米蘭坐到西西里，否則我覺得實在不需要花大錢坐歐洲之星，城市特快車就很炫了。事實上我只坐過一次歐洲之星，從佛羅倫斯回羅馬趕飛機回台北，僅此一次也希望下不為例。坐歐洲之星有什麼特別的地方呢？哈，有賣夾火腿的麵包、Espresso咖啡，也有抽菸的地方。趙薇則以為，帥哥美女比較多。奇怪，她坐火車是為了相親啊。

火車都分一等和二等車廂，不說你們也曉得我一定主張坐二等，在觀光旺季時二等常沒位子，從羅馬站到佛羅倫斯會很嗆，所以別太相信我的經驗，可是我還是得說，二等很隨便，容易認識其他志同道合的旅客或是當地人，會得到許多意想不到資訊，例如有一次在火車上一個老日很興奮的告訴我義大利航空公司罷工，所有國內線都停擺，可是國際線照飛，我便有時間規劃坐巴士回羅馬。再順便誇獎一下老日，他們是全世界最守法、最會行前蒐集資料、最會在LV店前排隊、最會吃到難吃餐廳仍說『呼伊死』、最會被別人撞了還彎腰作揖說『死你馬仙』的旅客。

萬一不小心買了二等票坐到一等去，得補票，還很貴，根本是罰錢，趙薇經常被罰，她永遠認為天底下哪有這麼倒楣被查票查到的人，偏偏真有，就是她。

上火車前要在月台的打票機裡把車票送進去打個日期，這樣表示你坐這班火車了，要是你沒打，意味你根本想逃票，因為義大利買車票除非指定席，否則都沒有標識時間，你明天、後天都可以坐，那麼你不去打票，你的票就還可以用，當然屬於逃票的行為。問題是義大利鐵路局當初制定這個規定時，沒考慮我會成為他們的乘客，從而引發出若干幾乎演變成國家戰爭的意外。

最初我不曉得這個規定，就臉紅害羞用破英文向上輩子也不說英文的查票員解釋。每次都會原諒我，誰叫我長得忠厚老實。後來可能其他人見賢思齊也用這套，查票員不吃這套，有次我看到一個美國人努力的解釋他不懂打票的規定，查票員毫不客氣的問他：『小子，你台灣來的吧，想糊弄老子。』

好，匪諜自首，上面那句話有些誇大。

所以現在我都謹言慎行，上車前一定打票，沒想到也出意外，將近半夜在阿列佐的車站等了半天，火車竟誤點，我想乾脆住在阿列佐好了，但票已經打了時間，想去找車站申訴，窗口已排了一長排以為等著吃赤阪拉麵的傢伙。

好吧，就算火車不誤點，想在義大利當個奉公守法的台灣郎也挺累的。有次我在個小城坐車，月台上有三台打票機，竟然全都壞了，怎麼也打不出時間，眼見火車都進站，我還滿頭大汗的打，最後不得已只能違法上車。那是我去年去義大利，一路上唯一沒查票的一次。我命裡帶衰、我白虎星高照。

買票也有趣，大站至少有三個售票口：賣國內線車票的（Biglietto）、賣國際線車票的（Internazionale）、賣預約票的（Prenotazione），幾乎一天二十四小時都有人在排隊，而且我又不買指定席，所以很少去排隊，大多利用自動售票機。

一般大的火車站都有自動售票機，使用六種語言，如果你要從羅馬到土盧鎮，在售票機的電腦按鍵上敲敲，選擇日期，螢幕就會把所有的班次列出來，也會告訴你在哪裡轉車，甚至很清楚標明換車的時間差距多久。然後把錢塞進去，票就出來了。但記住要看清楚，我的意思是，任何時候、任何地點，沒有十足把握絕不掏錢。

我曾經當過呆子，第一次在羅馬特米尼車站用機器買票，搞不清楚狀況，請旁邊一個義大利阿兵哥幫忙，結果票是買到了，也上了車，查票的卻拿著我的電腦票不停的搔腦袋，原來我是兩個人，卻買了一大兩小的票，而『兩小』的價錢當然高過『一大』。那次旅程我都低頭走路，逢人便說『喔嗨喲』，以免損及台灣的名譽。

我再坦白一次，那天查票員說完話之後，整個車廂笑了將近一個世紀，還有個白痴老義跑來問我：

『你們誰是一大，誰是兩小？』

有時候老義真的很欠揍，他們天生愛看熱鬧，尤其是外國人搞的飛機。

在自動售票機前面，可以看到各地來的觀光客排著隊查詢。像我，先是羅馬車站，後來是那不勒斯、佛羅倫斯的車站，只要看到這個機器就會情不自禁去敲敲，因為看到螢幕上所展現出的地點，和我當時所在地點的距離，就會有繼續旅行下去的衝動。去義大利東部的土爐鎮，坦白說，也和

坐往薩雷諾的火車，趙薇貪圖享受，硬是去坐頭等車廂，害我們後來被逼補票。

這是補完票後張國立的表情，顯然他很能接受挫折。

這台機器有關。

除了歐洲鐵路聯票（Eurail Pass）外，義大利也有自己的火車周遊券，叫做Biglietto di Libera Circolazione，它的每個字意思是：票，在，自由，周遊。

分一等和二等，再分八天、十五天、二十一天、三十天等，如果你拚了命的要走完義大利，買這種票很划算，要是你打算在一個地區內做定點旅遊，就不用啦，也挺貴的。有次我買了周遊券，其中一段明明坐巴士比較近，我仍堅持要坐火車，到了火車站再換巴士。這便是壞處，我想既然買了怎能不用，反而浪費時間。這和我小氣無關，而是，物盡其用。

另外還有一種是固定的火車卡，Italia Flexi Rail Card，意思是：義大利、固定、鐵路、卡。有四天、八天、十二天等三種，在這個期間內可以不斷的使用，除非你想四天內從米蘭玩到土盧鎮，否則不划算。

我很少買旅遊的聯票，因為我幾乎從來不知道接下來要去哪裡，我以前是愛流浪的感覺，現在被逼成流浪漢，不想為了那張聯票把自己搞得緊張兮兮非日夜不停的坐火車不可，而我很清楚，依我的個性，只要買了聯票，不撈回本，我會一路上都不快樂的。

好吧，我同意你們的看法，千萬別交我這種男朋友，會被氣死。

如何運用車站是許多旅行者必須學會的知識，義大利火車站都有行李間，可以寄放行李，以件為計價單位，如果到一個地方並不打算過夜，就可以先把行李寄下出去玩，回來再換車往下一個站出發。這比日本的投幣式寄行李箱更方便，你們去過日本一定知道，很難找到空的寄行李箱。

車站的廁所大部分不收錢，即使收也有限（如佛羅倫斯和大部份的托斯卡尼車站就收錢），因此每次去廁所我都會大號小號一起來，順便刷牙刮鬍子，總得把本撈回來。最慘烈的廁所在那不勒斯，兜到我都想吃下一頓才發現竟在樓梯底下。

許多車站也有旅客服務中心，會提供當地的地圖、巴士和火車時刻表、旅館資料等等，可是能不能問到，或要到必要的資訊，就得看運氣。有些小氣的車站只給影印的地圖，有些則大方到送我一本當地旅遊全覽的書。

至於巴士，我的經驗也豐富，要點在於記住去香菸亭買車票，市內的巴士也要打票，長程的則不用，打人。我的意思是說，你仍然要去香菸店買票，我總會順便也買包香菸，趙薇就打人。

差點忘記告訴各位，在家裡我都只能在陽台抽菸，以前陽台上還貼了張董氏基金會的拒菸海報。和趙薇出國，我也不能在室內抽菸，有年冬天去日本北海道，半夜一點半我穿著日式浴衣站在旅館門口凍得快成冰棒的抽菸，旅館老闆問我幹嘛，我還打腫臉充胖子的說：Yuki, Kireidesune。翻譯成中文是：他媽的你們的雪還，哈啾，挺美的咧。

o, Pensione,
.x

8 從修道院到半顆星，住遍義大利

別以為我小氣，我帶著趙薇曾忍痛住過古堡級的旅館，儘管第二天上午整理床鋪的老媽媽發現，咦，怎麼有個枕頭是濕的。

歐洲有個古堡的旅館集團叫Relais & Chateaux，專門找古堡或是修道院或是大莊園之類的地方做旅館，非常有名也非常昂貴。那年我在追趙薇，頭殼一時壞去，在席耶那住了一晚，既然花了錢，當然得介紹一下，說不定這輩子再也沒機會去住這種旅館啦。

旅館名叫Hotel Certosa di Maggiano，建在席耶那山上一處十四世紀的修道院，外觀是紅色的牆、木頭的大門，進門後是一長列有著拜占庭式圓形拱柱的房子，和中間的大院子，再加上代表該旅館的細長鐘樓。這裡只有六個普通房和十一間套房，房價一律台幣一萬兩千元起跳。寫到這裡，我不能不再次強調那時我真的頭殼壞掉了。旅館也附有餐廳，一頓飯一個人也要吃個四、五千元。

我在訂房時各種苦苦哀求，他們還是不給我打折，但同意給我最便宜的一間房。住在老房子裡有什麼感覺呢？首先，房子的外觀依政府法令不得更動，只能在裡面的裝潢動手，我們那間因而有個傾斜屋頂的浴室、有個窗戶在旁邊的馬桶、有電影中皇室裡用的厚厚被褥、有古董的家具，還有一把可能五公斤重的鐵鑰匙。

那天我們從火車站坐計程車去旅館，可是出來到舊城的廣場去玩卻用走的，門口穿著整齊武士服裝的老義很不以為然，他還問我們不回來吃晚飯嗎。我說不必了，老子錢已經花光啦。不，我是說，我們喜歡走走路練身體，也不吃晚飯練氣功。後來甚至我們再走回半山上的旅館，老義用不可思議的眼神看我們。老實說，那是冬季，很冷，我本來打算在扇形廣場叫計程車的，可是叫不到，只得走了四十多分鐘才走回去。叫不到計程車則是因為我不肯浪費錢在義大利租個手機，而我的台灣手機打國際漫遊太貴了。在義大利，不打電話根本叫不到計程車。

這個集團的旅館多集中在北義，托斯卡尼也有幾家，大多位於山上或海邊，不開車很不方便。在佛羅倫斯則有一家他們連鎖的餐廳，距離聖十字廣場很近，叫Ristorante Enoteca Pinchiorri，最特別的是老闆私人酒窖，他還會親自帶你去挑你喝得會心裡淌血的酒。我沒去過，只是覺得如果要騙女人，而不想住很貴的旅館，那麼吃很貴的餐廳也是折衷辦法。

- **Hotel Certosa di Maggiano**，地址是：Strada di Certosa 82, Siena，電話：0577-288180。
- **Relais & Chateaux** 的集團網址是：www.relaischateaux.fr。
- **Ristorante Enoteca Pinchiorri**，地址是：Via Ghibellina 87，電話：055-242777。

去義大利一定要認得一個義大利字：albergo，旅館的意思，在大城市多用hotel，不過到了小地方，albergo就常出現在路標上。我去西西里的阿格里真圖時，下了火車已晚上十點多，在那種小城幾乎百業打烊，火車站內的旅遊服務處也下班。我只好提著行李上街，才出車站便看到路標上有albergo，順著方向找下去，果然找到旅館。

還有一個字：residenza，意思是住的地方，大多指比較便宜的小旅館，例如佛羅倫斯有兩家很不錯的residenza，我大力推薦一下，Residenze Johlea I e II（055-214203）在自由廣場旁，很有家庭的感覺，而且不貴，但不意味所有的residenze都便宜，佛羅倫斯的另一家Residenze Apostoli（055-288432）就挺貴的，坐落在一處老宅裡，早飯可以幫你送到床上，多好，可是一聽也知道很貴。

再來是pensione，英文裡的pension（公寓），指小旅館，都很便宜。近年英國的B&B也流行到義大利來，第一個B是指床，第二個B則是指胸部——不，我腦袋有問題，是指早餐。在佛羅倫斯我住過一家，A.Rayan Palace（055-2381219）在車站旁，前一晚我住的是火車站介紹的，要一百二十歐元，第二天自己找到這家，只要一半價錢，而且屋內也有衛浴設備，由兩個帥哥經營，一切都很好，遺憾的是連早餐都由他們弄，看不到半個美眉。

至於locanda，姑且稱為客棧吧，不太常見，到了小鎮上比較多，算是比較便宜也供食宿的旅館。

最重要的，叫cameri，不是相機，意思是房間，算民宿吧，在五塊陸地的小鎮上旅館很少，幾乎都得靠民宿才有得住，也有辦法，問當地的香菸舖、雜貨店，他們是情報交流中心。千萬得記住這個字，如果在鳥不拉屎的地方，卻也有觀光客，你訂不到房，那麼拿出這個字來問每個商店的老闆，可能你會得救，然後記得買『砍肚臍』回來請我。什麼，你不知道『砍肚臍』？一種餅乾，用杏仁做的。

●在義大利，就算是住民宿，也別有風情。

趙薇在聖吉米拉諾住過青年旅館，一排的床位，大家睡在一起，衛浴則公用。她說一晚上看到健壯的各個美女穿著內衣褲走來走去，讓她很興奮——不，讓她很不好意思。至於這家的地址，她死也不肯告訴我，所以在此欠難公開了。

好吧，我偷告訴你們，義大利有個青年旅館聯盟，共五十四家，簡稱AIG，電話是：06-4871152。你們如果去住，有好康的一定要報給我知。

我最擅長的是住半顆星旅館，在羅馬近郊住過一定站在馬桶上，蓮蓬頭的水才會沖到你身上的。在西西里住過浴室地板好像剛發生過兇殺案的。在佛羅倫斯住過按完馬桶後，整棟大樓有如地震的。在那不勒斯住過晚上用箱子抵住房門，還想去買把手槍的。

每年六到九月是義大利的旅遊旺季，千萬要有預約，否則可以試試大城旁的小鎮，只要有火車或巴士在附近就好辦，老闆都不會英文，可以用比的，像是他比一個晚上五十（歐元），你搖頭，搖到頭掉到地上，並且比個二十。他也會搖頭，再比個四十，這時你掏出口袋裡的一堆銅板，也搖頭，比個三十。如果他還是搖頭，你拿出背包裡預藏的半個麵包，假裝很飢餓，比個三十五，千萬別比十，他會去廁房拿菜刀。

還要切記兩點：夏天要看旅館有沒有冷氣，開冷氣的聲音有沒有比坦克車大。冬天要看有沒有熱水，熱水能不能泡速食麵。差點忘記，義大利人平常不太喝熱水，你要是隨身帶了七大箱的速食麵想賴此為生，嘿嘿，別找旅館，去找咖啡店。

某年某月我在某小鎮想吃泡麵，跑去咖啡店問他要熱水，英文不通，我拿個空杯子，比著水注入進去，我再伸手指也伸進去，然後驚恐的把手指拔出來，這樣老闆該懂我要滾水了吧。老闆果然懂，他拿ＯＫ繃給我。

◎有用的旅館情報

●義大利的旅館網站：www.hotelreservation.it，他們是旅館服務集團（Hotel Reservation Service），可以代訂旅館，電話是：06-6991000，僅在羅馬就有三百五十家的會員旅館。

●這是另一個旅館網站：www.enit.it，電話：06-49711，我沒試過，不過聽說他們的會員裡有提供自助式公寓，連廚房都有。

●其他關於住宿的網站：www.agriturismo.it，www.indivtravellers.com，www.hostels-aig.org 。記得，呷好道相報，要告訴我，你們的心得，我的信箱是：ctwchang@yahoo.com.tw。

●如果你跟我一樣的頭殼歹去，想住修道院，在佛羅倫斯有不少，有的規定晚上十點半以前要回去，有的規定男女分開住，至於價格，有高有低，有興趣者不妨一試：

Istituto Gould：地址是Via dei Serragli 49，電話055-215363，有41間房。

Convitto Ecclesiastico：地址是Piazza della Calza 6，電話055-222287，有50間房。

Istituto Alfa Nuova：地址是Via E. Poggi 6，電話055-476280，有63間房。

Istituto Salesiano：地址是Via del Ghirlandaio，電話055-62300，有55間房。

Istituto San Giovanni Battista：地址是Via di Ripoli，電話055-6802394，有11間房。

Istituto Santa Elisabetta：地址是Viale Michelangelo 46，電話055-6811884，有29間房。

Istituto Sant'Angela：地址是Via Fra Bartolomeo 56，電話055-572232，有11間房。

Sette Santi Fondatori：地址是Via del Mille 11，電話055-5057085215363，有65間房。

Villa Agape：地址是Via della Torre del Gallo 8，電話055-220044，有28間房。

Villa I Cancelli：地址是Via Incontri 21，電話055-4226001，有31間房。

Pio X Artigianelli：地址是Via Serragli 106，電話055-225044，有18間房。

Casa del Santo Nome di Gesu：地址是Piazza del Carmine 21，電話055-213856，有26間房。

Casa del SS. Rosario：地址是Via Guido Monaco 24，電話055-321171，有12間房。

其中的義大利文，如Casa是『家』，Villa 是『別墅』，Istituto是修道院之類的地方。Convitto更當然是修道院了。

附錄 義大利的世界遺產

義大利與希臘是歐洲兩個主要的文明發源地，加上長達千年以上的羅馬帝國，因而義大利留下許多珍貴的古蹟，至於被聯合國教科文組織列為人類共同的世界遺產數目也很多，其中最主要的也是觀光客最常去，當然是古城了：

◎羅馬與梵諦岡

建城的時間可能在西元前八世紀，而且一直是義大利的首都，它是西方文明的中心，圓形競技場是壯觀的古蹟、進梵諦岡的西斯汀美術館是文藝復興時期的美術代表、西班牙廣場是優雅的散步與瞎拚天堂、天使城堡則可以讓人一探中世紀的世界。

◎佛羅倫斯

最早於西元前一世紀，凱撒在此設立殖民地，成為羅馬與高盧（法國）間的連絡站，到了十三至十五世紀，則更是文藝復興的搖籃，因為城區集中，對觀光客散步而言非常方便，千萬別忘了烏非茲美術館，建築物本身即是大師凡薩利在一五六〇的設計。

●米蘭的大教堂。

MARIAE
NASCENTI
RICORDA

◎威尼斯與其潟湖區

建在一百一十七個小島上，現在有一百五十條運河與四百座的橋。最早是西元九世紀，附近的人為了逃避北方蠻族法蘭克的入侵而躲到潟湖裡居住，另有一說則更早，在五世紀為了躲匈奴而建的。在中世紀時曾為一個海上帝國，並一度攻進東羅馬首都拜占庭，擄掠回來的藝術品極多。

◎比薩的主教堂廣場（Pisa）

原是羅馬城的軍港和商港，九世紀時成為獨立的城邦，也是地中海的霸主之一，薩丁尼亞、科西嘉都是它的殖民地，不過因為和北方的熱內亞爭奪市場，一二八四年的海戰中被擊敗，淪落為屬國。著名天文學家伽利略就是比薩人。

●旅遊服務處在Via Carlo Cammeo 2，電話：050-560464。

◎聖吉米拉諾（San Gimignano）

中世紀的城邦，隸屬在佛羅倫斯之下，周圍全是葡萄園和橄欖樹，城中有十四座土磚建成的高塔，在地平線上形成很特殊的景觀，因為城牆保持得很完整，建築物也都維持幾百年來的面貌，目前人口七千人。

●旅遊服務處在Piazza Duomo，電話：0577-940008。

◎席耶那（Siena）

十三、十四世紀席耶那是中義第一大城邦，尤其會做生意，一三四八年由於黑死病，城中人口死亡過半，隨後被老對手佛羅倫斯征服。歷史上最有名的一個人叫聖凱瑟琳，她生於一三四七年，七歲便決定嫁給耶穌（精神上），她的一生充滿了無法求證的神蹟。

●旅遊服務處在Piazza del Campo，電話：0577-280551。

◎那不勒斯（Naples）

最早是希臘人的殖民地，那不勒斯意為『新城』，西元九〇年變成羅馬帝國的一部份，因為面對一個大海灣，許多羅馬貴族都到這裡興建別墅，中世紀著名的詩人味吉爾便在今天的蛋堡寫下不少他的名作。如今是義大利第三大城，人口突破一百萬。

●旅遊服務處在Piazza del Martiri 58，電話：081-405311。

◎費拉拉（Ferrara）

由佛羅倫斯坐火車北上，到波隆納換車。建於七世紀，到了十四、十五世紀，連續執政的家族都熱愛美術，不僅成立學校，也被譽為藝術的保護者，因而留下許多傑作，古城保存得也很完整，城牆上的公園與盧卡齊名。

●旅遊服務處在Castello Estense，電話：0532-209370。

◎卡塞塔（Caserta）

這個小城在那不勒斯北方約二十公里處，要在那不勒斯火車站的服務中心先詢問如何坐巴士，而且要去的明確地方是Reggia di Caserta，它是十八世紀中波旁王朝查理三世所建的宮殿，附近的公園是巴洛克藝術的代表作之一。王宮加上公園被列為世界遺產。

◎烏比諾（Urbino）

在東岸，火車坐到皮塞羅（Pesaro）再換巴士，由佛羅倫斯或波隆那都可以坐車到皮塞羅。這是座小小的山城，城牆裡面有十五世紀建造的王宮Palazzo Ducale，在夕陽的光線裡，

1 龐貝古城的方向標示：由此去是妓女戶。

2 梵諦岡聖彼得大教堂的正面。

3 龐貝古城。

IN HONOREM PRINCIPIS APOST PAVLVS V BVRGHESIVS ROMANVS PONT MAX AN MDCXII PONT VII
2
3

每塊磚泛射出粉紅的色彩，拉斐爾便生在這裡，他的家Casa di Raffaello也被保存下來。

●旅遊服務處在Piazza Rinascimento 1，電話：0722-2613。

其他也列為世界遺產的重要古蹟還有：

◎凡卡蒙尼卡（Valcamonica）的岩石壁畫

位於義大利的北部，岩石的壁畫最遠的年代可以追溯到西元前五千至八千年，而且到了青銅器時代（西元前一千八百年）、鐵器時代（西元前九百年）也依然有作品，使人對於歐洲的文明的發源有新的看法。其中最具代表性的作品是獵鹿、農耕、戰爭和祭祀。可能因為阿爾卑斯山冰河的覆蓋，使得這些岩畫得以完整的保存。先到米蘭，再坐火車去東北方的Bergamo，換巴士再到Breno。

◎馬提拉（Matera）的岩洞教堂與住家

在南義，沿著山坡，原住民在此挖掘出住家，迄今仍留有保存得很好的岩洞教堂，據說當初東羅馬帝國的迫害，許多修道士便逃到這個幾乎與世隔絕的地方，建立起他們獨特的文化，後來在洞口加蓋石頭的房子，形成特殊的景觀。很不容易去，得先坐火車到東岸的巴利，再換車坐到馬提拉站下車。沒有旅館，只有民宿。

●旅遊服務處在Via De Viti de Marco 9，電話：0835-331983。

◎蒙提古堡（Castel del Monte）

也在東岸的巴利附近。十二世紀末，日耳曼的亨利六世也是西西里的領主，他熱愛南義，便在此造了一座匪夷所思的古堡，主城是八角形狀，每個角又各有一個八角形的堡壘。由於地處偏僻，實在沒人搞得清楚他蓋這座古堡究竟有什麼意圖。

◎阿格里真圖（Agrigento）的古希臘神殿

在西西里南岸的正中央，由巴勒摩或卡塔尼亞坐火車都可以到，最著名的是奧林匹亞宙斯神殿（Tempio di Zeus Templi），長一百一十三公尺，在古代也是最大的神殿之一，目前已大部份修復完成。

●旅遊服務處在Via Cesare Battisti 15，電話：0922-20454。

至於其他的世界遺產還有：

米蘭大教堂、阿爾貝羅貝羅的土廬、帕多亞的花園、杜林的薩渥伊之家、五塊大陸與其沿岸的島嶼、默迪那的教堂、龐貝古城、阿瑪非海岸等。

到這些地方旅行，火車多停在新城區，到時候要換巴士或走路，向旅遊服處問詢，或者最簡單的方法是問人，Duomo（大教堂）在哪裡，百分之九十都沒錯，因為義大利古城的建設都是以主教堂為中心，它的前面必然是最大的廣場，周圍才有其他的建築。

1 威尼斯的夜晚，那兩個呆子的臉孔不清楚沒關係，也沒人想看。

2 義大利的天空之一。

3 義大利的天空之二。

國家圖書館出版品預行編目資料

再咬幾口義大利/張國立著. -- 初版.-- 臺北市：皇冠,2005(民94)
面;公分.--(皇冠叢書；第3439種 PARTY；50)
ISBN 957-33-2124-6(平裝)
1.義大利—描述與遊記
745.9　　94002681

皇冠叢書第3439種
PARTY 50

再咬幾口義大利

作　　者—張國立
發 行 人—平雲
出版發行—皇冠文化出版有限公司
台北市敦化北路120巷50號　電話◎2716-8888
郵撥帳號◎1526151~6號
香港星馬—皇冠出版社(香港)有限公司
總 代 理　香港灣仔告士打道88號19樓
電話◎2529-1778　傳真◎2527-0904
出版統籌—盧春旭
責任編輯—蔡曉玲
美術設計—游萬國
印　　務—林莉莉・林佳燕
校　　對—鮑秀珍・蔡曉玲
行銷企劃—李琦雯

著作完成日期—2004年
初版一刷日期—2005年3月

法律顧問—王惠光律師

讀者服務傳真專線◎02-27150507
皇冠文化集團網址◎http://www.crown.com.tw
電腦編號◎408050　國際書碼◎957-33-2124-6
Printed in Taiwan
本書定價◎新台幣220元/港幣73元

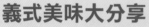